半《はん》斬《ざん》ノ蝶《ちょう》

遥かなる悠久の時を超え彷徨《さまよ》う魂
とこしえの闇を何処《いずこ》へ向かう
その暗き情念に安寧《あんねい》の地は――

紅葉を白く染める秋雪《しゅうせつ》は
決戦の刻《とき》を知らせる天の声か
宗次、武炎《ぶえん》の剣法が一閃《いっせん》する！

写真・文／編集部

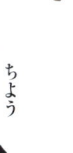

「同田貫正国《どうたぬきまさくに》」の拵《こしらえ》と刀身（熊本県指定有形文化財）

写真の「拵」は江戸時代後期のものとされる。「刀身」の銘は「九州肥後《ひご》同田貫藤原《ふじわら》正国」。一六世紀、桃山《ももやま》時代の作で、加藤清正《かとうきよまさ》公の愛刀と伝えられる。宗次はこの実戦的剛刀で凄絶な血戦を繰り広げる。

拵、刀身ともに本妙寺所蔵、熊本県立美術館撮影
背景は洛中風俗図屏風（舟木本）、東京国立博物館所蔵
Image : TNM Image Archives

茜《あかね》色に染まる寂寞《せきばく》たる庵《いおり》

苦難の道を歩みし隠者《いんじゃ》の眼は

雪見窓にいかなる真理を映すのか

揚真《ようしん》流最高奥義の一《ひとつ》、
優美苛烈な黒蝶《こくちょう》の舞い
静謐《せいひつ》にして一刀斬撃の神業《かみわざ》
これぞ秘剣「半斬《はんざん》ノ蝶《ちょう》」なり

半斬《はんざん》ノ蝶《ちょう》（上）

浮世絵宗次日月抄

門田泰明

祥伝社文庫

一

「おお、今年もまた美しく育ってくれたのう。目に眩《まぶ》しい程の見事さぞ。ありがとう、よく育ってくれた。ひとひら摘《つ》み取らせて貰《もら》おうかな」

今や「天下一」と誰彼《だれかれ》に褒《ほ》めそやされている浮世絵師宗次《そうじ》は目の前に広がる一面真紅《しんく》の花畑に目を細めると、静かに腰を下げて花の頭《かしら》に触れるか触れないかのところで、掌《てのひら》を左から右へ優しくそっと泳がせた。

一尺半ほどに伸び育った茎《くき》に乗る五弁《ごべん》の真紅の花が、サワサワと微《かす》かな音を立てて小さく揺れる。

「うん、茎にも充分な弾力が備わっておる。これなら今年も不安はない」

頷《うなず》いて呟《つぶや》いた宗次は、「さてと、取らせて貰うぞ」と告げながら、花びらをひとつ抓《つま》み取った。

ここでは宗次は必ず花たちに柔らかく語りかける。

草木には人の言葉、人の心を解する力があると信じて疑わぬ宗次であった。語りかける人間の側の心が豊かならば、草木は必ずそれに自然の力で応《こた》えてくれると確信している。

とりわけ、ここの真紅の花畑は浮世絵師宗次にとって命の泉とでも言うべき場所であった。

宗次は抓み取った一枚の花びらを指先で練《ね》り潰《つぶ》すと、赤く染まった人差し指を日にかざし角度を変えて眺めた。

「これはよい。今までにない色の冴《さ》えではないか。本当によく頑張って育ってくれたのう」

真紅の花たちに語りかける宗次の言葉は、いつものべらんめえ調子ではなかった。それだけ感謝の気持が深い、という事であろうか。

ここの花畑から採取できる濃い「赤」は、宗次の手技手法によって様様《さまざま》な色が加えられて、口紅色や肌色から夕焼け色に至る迄の十数通りに鮮やかに変化していくのだった。

一体何をどれくらい花畑から採取できた「赤」に混ぜるのかは、秘中の秘であって、つまりは浮世絵師宗次の命なのである。

「あと幾日かで卓了《たくりょう》和尚に刈り取りに入って戴《いただ》くのでな。宜《よろ》しく頼むぞ」

宗次は花たちにそう告げると、花畑に背を向けて歩き出した。

ここは宗次の父（養父《ようふ》）であり文武《ぶんぶ》の師であった今は亡き従五位下《じゅごいのげ》・梁伊対馬守《やないつしまのかみ》隆房《たかふさ》の墓がある目黒《めぐろ》村の養安院《ようあんいん》だった。

大剣聖として世に知られた対馬守である。

この養安院の寺領のうち、殆《ほとん》ど遊休状態にあった四百二十坪ほどを宗次が借りて多年草である真紅の花を栽培するようになってからすでに四年近くが経《た》つ。

生前、目黒村泰叡山《たいえいざん》そばに庵《いおり》を結んでいた対馬守隆房と、養安院住職の卓了とは交誼《こうぎ》の間柄《あいだがら》にあって、幼少時代の宗次は卓了に我が子のように可愛がられたものであった。

花畑の出口脇《わき》には鍬鋤《くわすき》など耕作《こうさく》道具を収めた三坪《みつぼ》ほどの古い藁葺《わらぶき》小屋がある。

その前を過ぎて砂利道《じゃりみち》を横切った向こうが、墓地となっていた。

庫裏《くり》や山門へ出るにはこの広い墓地を南に向けて真っ直ぐに抜けねばならない。

宗次は、墓地へ入っていった。

「きゃっきゃっ……」という高ぶった黄色い笑い声が聞こえてきたのは、この時だった。幼い者《こ》のそれと判る甲高《かんだか》さだ。

宗次は足を止め、聞こえて来る方を振り返った。

黄色く甲高い笑い声の主《ぬし》の姿は認められなかった。ちょうど笑い声のする方角を、件《くだん》の鍬鋤小屋が遮《さえぎ》っている。

幼い笑い声に続いて「ほほほほっ、なんと元気な……」という女性《にょしょう》の声が宗次の耳に入ってきた。

（いけねえ……）と、宗次の表情が硬くなった。嫌《いや》な光景が脳裏《のうり》を過《よ》ぎっていた。

宗次は急いで引き返した。

鍬鋤小屋に遮られていた光景がたちまち現われて、宗次は思わず「うっ」と背すじを反《そ》らせた。

それは信じられないような光景だった。

身形《みなり》ととのった四、五歳の男の子――明らかに武家の子らしい――が、花畑に腰から下を沈めてはしゃぎながら走り回っていた。

哀れにも踏み沈められた花花《はなばな》が、さも嬉しそうにはしゃぎ回る幼子《おさなご》の後から深い溝《みぞ》をこしらえてゆく。宗次が一本一本丹精《たんせい》込めて育ててきた真紅の花の、あまりにも呆気《あっけ》ない命の終りだった。

「こらあっ」と、宗次は怒鳴りつけた。幼子に対するいつもの宗次らしくなく、声の大きさを加減しない。当たり前のことだが本気で腹を立てていた。

幼子がさすがに動きを止め宗次の方を見た。だが、さほど驚いた様子はなく、それどころか不満そうに口を少しとがらせている。

「お前《めえ》は馬鹿かえ。ここは花畑だろうが。お前《めえ》には一体、この赤い花花が何に見えとるんじゃい」

宗次は花花に注意を払いながら、畝《うね》と畝の間を厳しい顔つきで幼子の方へ向かった。

けれどもその足は、数歩と行かない所で止まった。いや、止まらざるを得なかった、と言い改めるべきか。

花畑の西側には「養安竹林《ようあんちくりん》」の名で知られる、よく手入れされた美しい竹林が広がっている。やわらかくて美味《おい》しいことで人気の筍《たけのこ》が取れることで江戸の人人に知られた竹林だ。

その竹林から、左手を刀の柄《つか》に触れた侍三人が花畑の際《きわ》に、ぬっと現われたのである。

それだけではなかった。

三人の侍の後ろから、四人の女性《にょしょう》が姿を見せて侍たちと並んだのだ。うち若い三人はまぎれもなく腰元《こしもと》風であったが、残る一人――二十八、九か――は大身《たいしん》の御正室か側室以外には見えぬ身形《みなり》である。

「おい町人」

三人の侍の中で一番体格のよい三十五、六と思《おぼ》しき男が、凄い目つきで宗次を睨《にら》みつけた。

「おい町人、じゃござんせんや。そこの躾《しつけ》不足な洟《はな》垂《た》れ小僧を、花畑から早くどかしてくんない」

「なにいっ、もう一度言ってみろ町人。許さんぞ」

「おい、お侍《さむれえ》。お前《めえ》さんには此処《ここ》が綺麗《きれい》な花畑だってえのが、まだ見えてねえのですかい。この私《あっし》が丹精《たんせい》込めて仕上げた花畑に、頭の寸法が足らねえ小僧を放《はな》ちやがって、許せねえのはこちらでござんすよ」

「あ、頭の寸法が足らねえ、だと……此奴《こやつ》、言わせておけば」

「よっく見なせえ、お侍《さむれえ》。あっという間《ま》に何百本もの花が茎《くき》を踏み折られて息絶えてしまったんでい。もう使《つか》い物《もん》にはならねえやな。花にも命があるってえ事を、そこの躾不足な洟垂れ小僧によっく教えてやりなせえ。これからでも遅くはござんせん」

「無礼な。この町人を斬れ文之助《ぶんのすけ》。かまわぬ斬れ」

不意に御正室風が金切《かなき》り声を発し、彫《ほ》り深く整った面《おもて》に朱《しゅ》を走らせた。

「はい」と、体格のよい文之助とやらが肩を力《りき》ませて一歩を踏み出そうとするよりも先に、宗次は軽く腰を下げ左手五本の指をパラリと開いた腕を前へぐいと突き出した。「ちょいとお待ちなせえ」といった舞台役者の〝大見得《おおみえ》〟そのままの恰好《かっこう》だ。

「どうしても私《あっし》に刃《やいば》を向けてえんなら、竹林へ退《さ》がってからにして貰いやしょうか。これ以上、花畑を荒《あら》されたら、たまったもんじゃねえやな。さ、お退がりなせえ」

宗次は相手を促《うなが》しつつ三本の畝を跨《また》いで竹林へと移った。

侍たちとの間は凡《およ》そ五《ご》、六間《ろっけん》。

「さ、若様《わかさま》もこちらへ御出《おいで》なされませ」

花畑の際で腰元風の一人が〝躾不足な洟垂れ小僧〟の方へ両手を差し出した。

宗次は五、六間を隔《へだ》てた侍たちに注意を払いながら、右視野の端で若様とやらを捉《とら》えていた。

と、思いがけないことが生じた。
四、五歳の若様には、畝を花の頭越しに跨《また》ぐことはとても出来ない。
その若様が相変わらず不満そうに口をとがらせながら、両手で花を左右にそっと掻き分けて、畝を恐る恐る跨ぎ出したのだ。動きは真剣そのものと見る者には判った。

厳しい宗次の目つきが、たちまち緩《ゆる》み出した。

(子供は何事にかけても天才だあな。これだから教えを欠かす訳にはいかねえ。それに比べて、この大人どもときたらまったく……)と、宗次は目の前の侍たちを眺めた。

「叩っ斬る前に名を聞いておこうか町人。名乗れ」

気性の激しそうな体格のよい文之助とやらが威嚇《いかく》しながらついに鯉口《こいぐち》を切った。本気で、御正室の命《めい》に従うつもりのようだ。

「けっ。何を仰《おつしや》いやす。他人《ひと》の花畑を幼子に踏み荒させておきながら、名乗れとは笑わせるぜ。申し訳ねえと頭を下げて名乗るのは、お前《めえ》さんらの方じゃねえんですかえ」

「何を致しておる文之助、早う斬れ。町人の言葉になど耳を貸す必要などない」

御正室風がまたしても金切り声をあげた。眦《まなじり》を吊り上げている。

「は、はい」と文之助が抜刀して足を踏み出そうとした時、その背後で「よせ文之助」と幼い声がした。大声ではなかったが、決して弱弱しい響きの声でもなかった。

今まさに宗次に斬りかからんばかりの文之助が思わず足元を乱して踏み止《とど》まり、困惑の態《てい》で声の主――若様――を見た。無論のこと宗次も視線を若様へとやった。

「この千代丸《ちよまる》が悪いのじゃ。花を死なせた千代丸が悪いのじゃ」

まだ、どこか腰の弱いたどたどしい言い方であった。しかしながら、自分の思っていることを言って退《の》けようとする力《りき》みをしっかりと見せている。

宗次は、そう捉えた。そして（うん、いい子だ。それでいい……）と胸の内で呟《つぶや》いた。

文之助が解決を求めるかのような眼差《まなざ》しを、御正室風へと移した。

いくぶん肉感的な印象の御正室風が、「ええい、もう……」と苛立《いらだ》ったように若様と宗次を見比べる。

と、腰元に手をつながれていた若様が自分から振り切るように腰元から離れ、御正室風のそばへ行った。

我が子なのであろう、そして余程に可愛いのであろう、御正室風が若様を無言のまま抱き上げる。

ただ、抱き上げたあと、その目は再びはったと宗次を睨みつけていた。

「あ、あの、如何《いかが》致せば……」

抜刀した刀のやり場に窮《きゅう》した文之助の困惑した眼差しは、まだ御正室風に向けられたままだ。

「もうよいわ。千代丸が許してやれと決めたのじゃ。見逃《みのが》してやれ」

御正室風はそう言い残すや、ぷいと背を向け足早に竹林の奥――西の方角――へと消えていった。

そのあとに侍たちや腰元たちが従って、辺《あた》りはシンとした元の静けさを取り戻した。

「許してやれだの、見逃してやれだのは、私《こっち》の言うことでござんしょうが」

宗次は苦苦《にがにが》しい気分を嚙みしめながら、踏み倒されて起きあがる事が出来ぬまま蛇行《だこう》した深い溝をつくっている花畑を無念そうに眺めた。

（一体《いってえ》どこの藩の者でえ……あの御正室風の印象や若様の千代丸とかいう名からみて、旗本じゃあねえな。おそらく大名だ。それも大藩の……）

宗次はそう想像しつつ、ちょっとの間考えてから、自分も竹林の中を枯れ葉を鳴らし西の方角へと歩き出した。

べつに若様一行の後をつける積もりなどはなかった。面倒《めんど》くせえ、という気分だ。

竹林は西へ行くにしたがって、ごく緩《ゆる》やかに傾斜している。

よく育った太い青竹が林立する中を二町《にちょう》ばかり進むと、南北に走る幅五、六《ろっ》間《けん》の道があった。道の向こうは、また深い竹林だ。

道には大勢の足跡らしいのがはっきりとあって、竹の枯れ落葉に乱れがあった。

「やっぱり大名駕籠《かご》や大勢の家臣がここに控えてやがったかい……」

宗次は呟いたあと、辺りを見まわして舌を打ち鳴らした。明らかに真新しいと判る、筍を掘り取った穴がそこかしこにある。

間もなく秋筍の時季と知っている宗次ではあったが、それでも収穫にはまだ幾日か待たねばならぬ筈《はず》だった。

幼少期を今は亡き父と共に目黒村泰叡山で過ごした宗次にとっては、養安院界隈《かいわい》は自分の庭みたいなものだった。この青竹の林も、小鹿のように走り回り飛び回って宗次は育ってきた。

やわらかくて美味《おい》しい筍が沢山《たくさん》取れることで知られたこの「養安竹林」は、余りにも広過ぎて養安院の手だけでは維持できないため、近在の百姓たちに「筍は自由に取ってよし」と平等に区分けし無償で貸与されている。

そのかわり、筍を売った収入のうちの一割は寺へ喜捨《きしゃ》（寄付の意）すること、竹林を清潔に維持すること、の二つが条件だった。

江戸市中へ持ってゆけば飛ぶように売れる人気の筍であったから、貸与された百姓たちにとっては有難いことこの上ない。

しかも、ここ「養安竹林」の筍は春と秋の二度芽を出すからそれこそ願ったりかなったりの百姓たちであった。

「権力ってえ化け物が二、三十本ばかりも掘り盗《と》ってゆきやがったかえ……」

いま少し待てば最高によい筍《もの》が取れたであろうに、と宗次は眉をひそめた。

二

宗次が境内へ戻ってみると、五人の若い僧侶が竹箒《たけぼうき》で本堂や経蔵《きょうぞう》（経文を保管する蔵）のまわりを掃き清めていた。五人とも十七、八というところであろうか。

「やあ、宗次先生、……お見えでしたか」

経蔵の脇にいた一人が宗次に気付いて、竹箒を持つ手を休め笑顔をつくった。

「珍念《ちんねん》さん、卓了和尚は庫裏《くり》にいらっしゃるかえ」

「いいえ、和尚はたったいま迎えの駕籠で出かけられましたが」

「ほう、迎えの駕籠で……」

「日本橋《にほんばし》の親しい先を三軒ばかり回って、夕刻までにはお戻りになります」

「夕刻か……ところで珍念さん、この養安院へ今日、どこかのお大名が参詣する予定になっていたかえ」

「お大名の参詣？　いいえ、そのような予定は入っておりませんし、この養安院にはお大名の墓地もありませんが」

「確かに、この寺にはお大名の墓地は無《ね》えわなあ」

「はい」

「にしても、あれは間違《まちげ》えなくお大名家の者たちといった印象だったぜ……」

足元に視線を落としブツブツと呟く宗次の顔を、「あのう……」と珍念は覗き込むような様子を見せた。

「何かありましたのですか宗次先生」

「いやなに、この私《あっし》が丹精《たんせい》込めて育てた花畑を、お大名家の若君らしい四、五歳の子が踏み荒しちまってね」

「な、なんですってえ」

と珍念が驚き、他の若い僧たちも「何事か」と宗次と珍念のまわりに集まってきた。浮世絵師である宗次にとってあの真紅の花畑が我が命ほどに大事であることを、珍念のみならず、他の若い僧侶たちも充分以上に承知している。

「花畑を滅茶苦茶に踏み潰《つぶ》してくれた利《き》かん坊《ぼ》そうなあれ、あれはどこから眺めても大名家の躾不足な若君だあな。それに生みの母親らしい綺麗な御正室風に腰元、気性の激しい腕が立ちそうな警護の侍、と役者が全部揃《そろ》っていやがったい。それに竹林の中を南北に走る道には控えの家臣大勢の足跡らしいのもあってな」

「そ、そんな……」

珍念は目をむいて、矢張《やは》り驚いている他の僧侶たちと顔を見合わせた。

「この養安院へ訪れる可能性があるお大名家については、心当たりがねえかい相《そう》円《えん》さんよ」

宗次は珍念の左隣にいる小柄な相円と視線を合わせた。なかなか利発なこの相円を相手に、庫裏でときおり囲碁を楽しむ宗次である。

「心当たりはありません。これまでにも、お大名家が養安院を訪れたこともありません。宗次先生ご存知のように私は六歳で卓了和尚のお世話になっておりますから、この養安院でもう十一年になります。でもその間《かん》、お大名家が訪れたことは一度もありません」

「そうかえ……ふむう」と、宗次は考え込んだ。

珍念が言った。

「それにしても先生、その大名家の方《かた》らしい人たちはお花畑へどのようにして出入りしたのでしょうか。それ程のお行列が山門を潜《くぐ》って出入りしたのであれば当然私たちの目に触《ふ》れましょう。また竹林の道の北側の出入口から出入りしたのであれば、そこには竹林と墓の見回りを任せている律儀《りちぎ》な老夫婦の小屋がありますゆえ、驚いて私たちに知らせてくれましょうから」

「おうっとそうだい。それを忘れてたい。竹林の北側の出入口にある見回り小屋には元猟師《りょうし》だった呉助爺《ごすけと》っつあん夫婦が長く住んでいるんだったい」

「はい。老夫婦で助け合って元気に墓も竹林も見回ってくれております」

「よし、では久し振りに呉助爺っつあん夫婦を訪ねてみようかえ。邪魔をしちまったな」

「いいえ。あ、先生、それで花の摘《つ》み取りはいつに致しましょうか。利かん坊らしい若君風に踏み荒されたとなりますと早い方がよいと思いますが」

「そうよな。忙しいところすまねえが二、三日の内にも頼めねえかい」

「承知致しました。その積もりで摘み取りの用意をしておきましょう。和尚には私からお伝え致しておきます」

「いつもいつもありがとうよ。少ないがこれでな、皆で門前町の熱い蕎麦《そば》でも味わってくんねえ。それから、こっちは卓了和尚にな」

宗次は「こちらこそ、いつもすみません」と頭を下げる珍念の手に小粒を若い僧侶の人数分握らせたあと、その積もりで袱紗《ふくさ》に包んであった十両をも手渡した。花畑の借り賃である。

このように花を摘み取るとき宗次は必ず若い僧たちそれぞれに小粒を手渡し、そして卓了和尚へは賃料十両を喜捨するのだった。

花は春と秋に二度咲きするため、畑の賃料は合わせて二十両ということになる。

この花の「赤」から取れる十数通りの色を〝命〟とする浮世絵師の宗次にとっては、安い二十両であった。

宗次はもう一度花畑に引き返し、そこから竹林へと入っていった。

秋鶯《あきうぐいす》が頻《しき》りと鳴いている。「ホウー……」と見事に長く尾を引いて「ホケキョ……」と美しく鳴いている。これも筍の旨《うま》さで知られたこの竹林の名物だった。

宗次は秋鶯の鳴き声に心を洗われながら、竹林から南北に走る道に出た。足で乱されたと判る枯れ葉の様子も、筍を掘り盗った穴も当然のこと、そのままだった。

宗次は呉助夫婦の見回り小屋へと足を向けた。大勢の足跡も続いていた。が、道は一町ばかり進んだところで石畳となり、そこから先は呉助夫婦の手によって竹の落ち葉などは丁寧《ていねい》に掃き清められ、したがって足跡は消えていた。

この石畳は「養安竹林」の筍の権利を卓了和尚から付与された百姓たちの合議と費用の負担によって敷かれたものだった。

いつも豊富に収穫できる筍を積む、大八車《だいはちぐるま》を出入りさせ易《やす》くするためだ。

むろん寺の許可を得た上で敷かれた石畳である。

足元がやわらかな赤土のままだと、筍を山のように積み込んだ大八車を引くのは、ひと苦労なのだ。

道の向こうに、呉助夫婦の見回り小屋が見えてきた。

老妻世津《せつ》が小屋の前で、鉈《なた》で薪《まき》を割っているのだが、老女の細腕から薪は逃げて弾《はじ》き倒れるばかりだった。

「あーあー」と弱音を吐いて腰を伸ばした世津が、近付いてくる宗次に気付いた。年齢《とし》は六十を一つ二つ越えた辺りであろうか。

「あれまあ宗次先生。お久し振りじゃのう……」

人懐《ひとなつ》こく破顔《はがん》した世津の前歯は、すでに何本か抜け落ちてしまっている。

「ほんに久し振りだあね婆《ばあ》ちゃん。元気そうで何よりだあな。どれ、貸してみねえ」

宗次にゆったりと話しかけられて世津は、手にしていた鉈を手渡した。

「割ってくれるだかね先生。すまないねえ」

「竈《かまど》にくべるのかえ」

「うん、台所と風呂場によう。じゃから二つ割りにしたいんだわ」

「よっしゃ、任せなせえ」

宗次は人の腕ほどの太さの薪を石畳の上に立てると、次次と真っ二つにしていった。

世津は目を丸くした。はじめて頼み、はじめて目にする宗次の薪割りだった。老いた世津の目には、それこそ目にもとまらぬ速さくらいに見える宗次の薪割りだった。

なにしろ「天下一の浮世絵師と言われる宗次先生は絵筆しか持ったことのない役者のような優男《やさおとこ》」と眺めてきた世津である。

「これくらいでいいかえ婆ちゃん」

百本ばかりの薪を、あっという間に二百本ほどにしてにっこりとした宗次が、目を丸くしている世津に鉈を返した。

「あんれまあ驚いたよう。宗次先生は浮世絵だけでなく、薪割りも天才だがね」

「薪割りの天才なんてえのは、余り聞いたことがねえやな婆ちゃん。あははは っ」

「そうかね。いや、そうじゃね。あはははっ」

世津も宗次の笑いに合わせ、曲がった背すじを伸ばして高笑いした。

「ところでよ婆ちゃん、ちょいと訊《き》きてえ事があるんだが……」

「まあ、小屋さ上がって蓬茶《よもぎちゃ》でも飲んでいかんかね。爺《じい》さまは今、鉄砲を背負って竹林と墓の見回りに出てるだが」

「鉄砲を背負って？」

「うん、この時季の竹林には猪《いのしし》が出るだでな。さ、小屋さ上がんね」

「いや、蓬茶はまたゆっくりと飲みに来るよ。それよりも婆ちゃん、小半刻《こはんとき》ほど前に、この小屋の前をお武家の行列が通らなかったかねい。大名家を思わせるような行列なんだがよ……」

「大名家を思わせるような行列？　うんにゃ通らねえ。通ってねえよ」

「はて……面妖《めんよう》な」

「おらあ小半刻以上も前からよ、この辺りの枯れ葉を掃き集めたり、小屋まわりの雑草を抜き取ったりしてただが、そんな行列見てねえよ」

「おかしいなあ。大勢の足跡がこの石畳の道の手前まで、はっきりと残っているんだぜ」

「あれ、やだよう。気味悪いだよ。この年寄りに向かって冗談は止しとくれよ先生」

「ところが冗談じゃねえんだい。その行列には綺麗な御正室風や四、五歳の若君ってえのがいてな……」

宗次が真顔《まがお》でそこまで言ったとき、背後から「やあ宗次先生、来てらしただか……」と嗄《しわが》れた声がかかった。

宗次が振り向くと、鉄砲を背負った白髭《しろひげ》の老爺――六十半ばくらいか――が石畳の道の向こう、南の方角から笑顔でやってくるところだった。どこで仕留めたのか何羽もの野兎《のうさぎ》を腰にぶさ下げている。

「おやおや呉助の爺《と》っつあん、えらく大猟じゃねえの」

「お久し振りですのう先生。いやなに、寺領の外側の百姓たちに、野兎に畑を荒されて困る何とかしちゃってくれ、と頼まれやしたもんじゃでな」

そう言い言い宗次に次第に近付いてくる呉助であった。白髭が見事である。

「寺領の外側じゃあ、卓了和尚に叱られはせんのう。和尚は殺生《せっしょう》にはうるさいから」

「その和尚様から直接頼まれやしてての。百姓たちが野兎で困っている助けてやりなさい、とよ」

呉助はそう言いながら「よっこらしょ」といった顔つきで宗次の前に立ち止まり、背中から鉄砲を下ろした。

その鉄砲を世津が大事そうに両手で受け取って小屋の中へ入ってゆく。

鉄砲を日本に伝えたのは、天文《てんもん》十二年（一五四三）八月二十五日に種子島《たねがしま》（鹿児島県）に漂着したポルトガル人によってである（今から凡そ百三十年以上も前のことで、そのときの鉄砲〝火縄銃〟は口径一六ミリ、銃身七一八ミリ）。

「先生は兎鍋や兎汁は好きじゃったかのう。葱《ねぎ》、大根、牛蒡《ごぼう》なんぞをたっぷりと入れ赤味噌をやや濃い目に溶《と》かしやしてな」と言いながら、呉助が腰縄にぶら下げた野兎を地面《じべた》に下ろした。

「いや、兎はまだ食したことがないねえ。なんだか旨《うま》そうだなあ」

「旨いのなんの。汁物じゃが酒の肴《さかな》にもなりますです。宜《よろ》しかったら三羽ばかりお持ち帰んなさるがええだ」

「大地の神様からの大事な戴《いただ》き物でございますですよ。先生が美味しく食して下さりゃあ畑荒しの野兎たちも喜びますだ」

「いいのかえ」

「うん、じゃあ戴いて帰るか。ところでよ爺っつあん……」

宗次は世津に訊《たず》ねたことを、そのまま呉助にもぶっつけてみた。

「なんとまあ……」と、呉助はいま来た方を振り返り目を丸くして驚いた。

「確かに降り積もった竹の葉がいやに乱れておりやしたが、あれがその大名家らしいお行列の足跡じゃったのかい。儂《わし》はまた子連れ猪でも現われやがったかな、とちょいとばかし緊張しやしたのですがね」

「猪が荒し歩いた跡の乱れ様《よう》に似ているのかえ」

「似ている。似ているだあよ」

「そうかあ……」

「大名家らしいお行列なんぞ、儂は見なかったけんどなあ先生よ」

「墓や竹林を見て回ったあと寺領の外側にまで足をのばした爺っつあんの目にも触れていねえとなると……はあて不思議よな」

「珍念さんや相円さんら境内《けいだい》に出ていた若い僧たちも儂と同じように見ていないんじゃあ、一体《いってえ》どこから入って、どこから出たんだべな先生。お行列ともなりゃあ三人連れや四人連れとは訳が違うから、この小屋の前を通れば、めっきり目が弱くなってきた家《うち》の婆さんだって気付くだよ」

「そうだねい。ま、このことは近いうちに卓了和尚にも訊いてみるとしましょうかえ。真っ昼間から狐《きつね》が大名行列をつくる訳もねえからな。おそらくこの近在の大名屋敷から筍でも取りに訪れたか、私《あつし》の目の錯覚だろうよ」

「それにしても、いくら大名家だからって盗掘は余りにひどいだよ先生。しかも先生が大事にしているお花畑を幼い若様とやらに踏み荒させるなんて、許せるもんじゃあねえだ」

「武士の世の中なんてえのは長くは続かんよ爺っつあん。そういう躾不足な若様が次の藩主となって領地を治めるのかと考えると、背すじが寒くなってくらあな」

「ほんにまったくだ……そいじゃ先生、これを」

呉助は後ろ腰に下げていた紐《ひも》を左手で引き抜くと、野兎三羽を括《くく》って宗次に差し出した。

「お爺《じい》さん幾らなんでも、宗次先生に紐で括った獲物をそのまま持ち帰って貰《もら》うのは酷《こく》ってもんじゃ。絵仕事で大名旗本家へも出入りなさっている先生にゃあ、それなりに立場ってもんがあるだからよう」

そう言い言い破れ穴のある古い風呂敷を手に渋《しぶ》い顔つきで出てきた世津が、その風呂敷で手早く野兎をくるんだ。なれた手つきだ。

「はい先生、これで人目につかないよう」

「すまねえな婆ちゃん。手間をかけちまったい」

「先生の鎌倉河岸《かまくらがし》の長屋を出た直ぐそばに何とかいう人気の居酒屋があるだろ。旨《うま》い肴を出すとかの」

「ああ、ある。『しのぶ』ってのがな……」

「そうそう『しのぶ』。そこへこの野兎を、頼むよ、って預けたら鍋にでも出来るようちゃんとしてくれるだよ」

「そうよな。女将《おかみ》ってのが調理上手だから、そうしてみようかえ。爺っつあんも婆ちゃんも鎌倉河岸の近くまで来ることがありゃあ、また気軽に立ち寄ってくんな。気軽にな」

「ほんじゃま、筍を背負《しょっ》て、そのうち爺さまと一緒に訪ねるだ」

「うん、待ってるぜい」

宗次は幾度となく鎌倉河岸の長屋を訪ねて来たことがある呉助夫婦と別れると、竹林の北側の出入口から寺領の外へと出た。

実り豊かな畑がどこまでも広がっていて、右手斜め彼方《かなた》の小高い丘の上に立派な門を構えた大きな屋敷が見えている。

その屋敷こそ、宗次がよく知る目黒村の大庄屋《だいしょうや》小野宮右衛門《おのみやうえもん》の住居《すまい》であった。

牛込《うしごめ》御門前・神楽坂《かぐらざか》二丁目上《かみ》に在《あ》る高級料理茶屋「夢座敷《ゆめざしき》」の女将《おかみ》で、吉祥《きっしょう》天女《てんにょ》の生まれかわりかと江戸の男どもから熱く騒がれている絶世《ぜっせい》の美人、幸《こう》の生家である。

だがこの幸、どれほど大身旗本の息《そく》から激しい想いを打ち明けられようと、金蔵に幾千両を唸《うな》らせる老舗大店《しにせおおだな》の若旦那に涙ながら言い寄られようと、さらりと聞き流し頑《かたくな》に首を縦に振らぬ女《ひと》だった。

幸がかたちよい豊かな胸をそっと震わせて燃える想いを寄せるのは、ただひたすらあの御方《おかた》ひとり……が、まあ、ここではそれに触れぬとしよう。

宗次は大事な花畑を踏み潰した〝若様〟や〝御正室風〟などの顔を脳裏《のうり》に思い浮かべつつ、考え考え腕組をして歩いた。

歩みは大庄屋の屋敷から遠ざかるかたちで東へと向かっていた。

宗次の歩みにしたがって、小高い丘の東側を覆《おお》っている鬱蒼《うっそう》たる森が、大庄屋である小野宮家を表門の辺りから次第に隠してゆく。

「それにしても、筍を盗掘していきやがるってえのは……」

武家の良識ってえのもそこまで腐りやがったかい、と思わず腕組を解《と》いて足を止め青く澄んだ空を見上げる宗次であった。

ふうっと溜息《ためいき》がもれる。

視野の左端には、森に隠されつつあった小野宮家が、長い土塀を半分ばかり残していた。

すでに小野宮家の誰彼からも親しく迎えられる程に幾度となく屋敷を訪ねてきた宗次であったが、今日はその予定をしていない。

なによりも幸に黙って小野宮家を訪ねる事をよしとしていない、宗次であった。訪ねる時はたいてい幸と一緒――誘われて――の時が多い。

宗次は、再びゆっくりと歩み出した。どうにも〝若様〟と〝御正室風〟が脳裏から去らなかった。

（まったく嫌な感じだぜい。何か不吉な事の前触れじゃあねえだろうなあ）

胸の内で声なく呟いて小川に架かった木橋を渡った宗次は、少し先の三猿《さんえん》を刻んだ庚申塚《こうしんづか》の所を左へ折れた。

このまま脇目もふらず道なりにひたすら進めば、遠く田舎《いなか》から出て来た幼い者でも迷うことなく江戸市中に入ることが出来る。

近在の百姓たちからは「養安院様の道」と呼ばれている無駄折れ道の無い江戸への近道であって、庚申塚の所を逆方向、右へ折れて二町ばかり行き竹林を回り込むと養安院の山門に出る。そこがこの道の起点であり終点であった。

宗次はゆったりとした足取りで、嫌な感じを胸に宿したまま、江戸市中へと向かった。

が、庚申塚から幾らも行かない内に、「あら、お前様……」と後ろから澄んだ綺麗な声をかけられて、宗次の足は止まった。むろん女の声だ。

その何とも言えぬ上品な声のかけ方から推《お》し量《はか》るまでもなく、その女《ひと》が誰であるのか、宗次には反射的と言ってよい程に判っていた。

宗次は振り返った。口元に、微かな笑みを見せている。声をかけてきた女《ひと》へのためなのであろう。

その女《ひと》は、青い風呂敷包みを胸に抱えた十四、五の娘を従えるようにして庚申塚のそばに佇《たたず》み、素晴らしい人でも見つけたかのように目を細《ほそ》めていた。美しい女《ひと》であった。それも当たり前の美しさではなかった。息をのむとは、この女《ひと》の美しさのためだけにあるのでは、と思える程の美貌であった幸である。この女《ひと》こそ江戸の男どもにとって垂涎《すいぜん》の的《まと》、神楽坂の高級料理茶屋。

「夢座敷」の女将幸、そのひとだった。

宗次は、庚申塚まで矢張りゆったりとした足取りで引き返した。

十四、五の丸顔の娘が宗次に向かって「こんにちは」と腰を折り、「やあ……」と宗次が短く返して頷く。

行儀見習いと接待作法修得の目的で幸に仕《つか》えて半年になる、日本橋の呉服問屋「沖乃屋《おきのや》」のひとり娘由香《ゆか》と承知している宗次だった。

近頃、幸に大事な娘を預けようと打診してくる大店の主人《あるじ》たちが増える傾向にあり、それでもって多忙な幸に思案がまとい付いている。

その主人《あるじ》たちが一方で、「夢座敷」の上客でもあるからだ。

「お前様。いま父上様（梁伊対馬守）のお墓に香華《こうげ》を手向《たむ》け、墓石《ぼせき》の埃《ほこり》を拭《ふ》き清めて参りました」

「そうかえ。いつも気を遣《つか》わせてすまねえな。で、これから生家《さと》へ？」

「はい。丈夫な母が珍しく風邪を長びかせている、と兄が遣《つか》いの者を寄越《よこ》しましたゆえ、見舞に訪ねるところです」

「そいつあ、いけねえな。よし私《わたし》も一緒しよう。構わねえかい」

「お前様と一緒だと、母もきっと喜びましょう。お花畑は見て参られたのですか」

「うん、有難《ありがて》えことに、非常によく育っている。どうやら、よい色が取れそうだい」

と言いつつ宗次は歩き出した。若様とやらに踏み荒されたことについては、口から出さなかった。母親を見舞う幸に告げて心配を増やす程の事でもない、という判断だった。

幸は宗次に寄り添うようにして歩いた。後ろに由香が付き従っていなければ、幸はおそらく宗次の着物の袖《そで》あたりを目立たぬよう、そっと摑んでいたことであろう。

前をゆく二人の心の内をすでに知り始めている由香は、自分に嬉しいことでも訪れたかのように、にこにこ顔だった。人の善《よ》さが、あどけなさを残したその丸顔にあらわれている。

「今日は生家《さと》に泊まるのかえ」

宗次はひっそりとした口調で幸に訊ね、後ろの由香は「たまらない……」とでも言いたげに、ますます嬉しそうだった。

「いいえ、遅くなっても神楽坂へ戻ります。店では皆が忙しく致しておりますから」

「女の足にゃあ長《なが》の夜道歩きは昼の倍は疲れる。目黒不動そばの『駕籠清《かごせい》』から、駕籠を二挺《ちょう》呼んで貰っておきねえ」

「はい。お前様がそう仰《おつしゃ》いますなら」

「駕籠の中ではな由香。行儀作法を崩して大きな寝息を立てても構わねえぞ。この私《わたし》が駕籠まわりをしっかり見守ってやるから安心しな」

宗次が振り向いて言うと、由香はこっくりと頷いてから破顔《はがん》した。

幸にとっては宗次が身そばにいるというだけで、神将伐折羅《ばさら》に見守られているかのような絶対的とも言える安心感を得ることが出来たが、由香は宗次が「そこまでの御人《おひと》」であるとはまだ知らない。

由香が知る宗次は「背丈に恵まれた優しく男前な絵筆の重さしか知らない天才浮世絵師」ただそれだけであった。

江戸方向へと真っ直ぐにのびている「養安院様の道」は、庚申塚から一町《いっちょう》ばかり先の大きな一本松のところで、左へ曲がる道を持っている。

段段畑に挟まれたこの道が、簡素な四足門《よつあしもん》を構える小野宮家の正面へと続いているのだった。明るい青空の下《もと》、三人はその道を庄屋の屋敷へと向かった。

「野兎の被害くらいはあろうが、今年も目黒村は秋野菜が大豊作のようじゃあねえかい。結構なことだあね」

「この村のお百姓は、智恵を働かせて皆さんよく働いてくれますから」

「うん、それもあるだろうが庄屋である幸のお父上、小野宮右衛門様の差配が光っていることも忘れちゃあならねえ」

「それを父が聞けば喜んで〝宗次殿ま、一杯〟ということになりましてよ」

「ははは。そう言やあ、父上様とは久しく盃《さかずき》を交わしちゃあいねえなあ」

「父はいつもお前様の訪れを期待しているのでしょうか。お前様のお好きな『灘《なだ》の生一本《きいっぽん》』の備えを欠かしたことがありません。今日は父の相手をなされますか」

「幸が何か旨い物でも拵《こしら》えてくれるのかえ」

「はい。お前様のお好きな物は充分に承知しておりますから……」

「よし、じゃあ今日はゆっくりとお邪魔させて戴《いただ》こうかい」

「そうなされませ。母も喜んで風邪などきっと忘れましょう」

宗次は幸と並んで歩きながら、ときおりその端正な横顔を眺めては（ほんに、お前《めえ》は綺麗だ。小野小町《おののこまち》や楊貴妃《ようきひ》どころじゃねえやな。まるで天女の美しさだぜ）と改めて思うのだった。多くの美人画を描いてきた絵師であるだけに、尚のことそう感じるのだ。

「ねえ、お前様……」

「ん？」

「今日はひょっとすると、父から何か困った事を切り出されるかも知れませんよ」

「困ったこと……てえと？」

「さあ、私《わたくし》にははっきりとは判りませんけれど、何故だかそのような予感が致します」

「たとえば、この私《わたし》がしどろもどろするような、かえ？」

「さあ、それも私《わたくし》には判りません」

「なんじゃい、そりゃあ」と宗次は思わず苦笑して透《す》き通った青空を見上げ、幸もクスリと笑った。

「ところでお前様……先程から少し気になっている事をお訊きする出過ぎた真似《まね》を許して戴けませぬでしょうか」

「構わねえよ」

「お手になさっている、その大層《たいそう》汚れた風呂敷包みは一体何でございますの」

「あ、これかえ……」

と、宗次は歩みを止めぬままその風呂敷包みを、ひょいと幸の手に預けた。

「幸もよく知っている養安院竹林の北側の出入口にある見回り小屋の呉助爺《と》っつあんに貰ったんだ。兎汁にでもしなせえ、とな」

「あ、それじゃあ畑荒しの野兎……父も兄も本当に困っていると、いつでしたか申しておりました」

「その野兎でえ。鉄砲撃ちの上手《うま》い爺っあんが百姓たちに頼まれて仕留めたらしくてな」

「見回り小屋にまで行かれたのですか、お前様」

「うん、何ともなしによ……」

「この野兎、どう致しましょう」と、美しい困り顔を見せる幸であった。

「畑荒しのいたずら野兎にだって、命ってえものがあらあな。運悪く呉助爺っつあんに仕留められたんなら、大切に味わってやんなきゃあなんねえと思うよ」

「は、はい……」と、気立て優しい幸は矢張り困り顔を隠さない。

「なあに、大庄屋小野宮家の膳部《ぜんぶ》を任されている幾人もの使用人たちゃあ、獲物の命の大事さは、ちゃんと心得ているだろうよ。幸の父上、右衛門様とは、兎汁で一杯《いっぺえ》やりてえもんだ」

「では、台所の者たちと相談してみましょう」

と、ようやく決心する幸だった。

「女将さん、それ、私が持ちます」

二人の後ろに付き従っていた由香が半ば前に回り込むようにして、幸の返事を待たず強い意志を見せて風呂敷包みに手をやった。

このとき宗次の歩みが、ふっと弱まった。

空は依然として青青と心地よく澄みわたり、三人のまわりは彼方《かなた》にまで実りの豊かな畑の広がりだ。両側に黄色い小花をいっぱい咲かせている道は緩い登りとなって、小高い丘の上にある大庄屋の屋敷は次第に近付きつつある。

絵のようなその明るい光景には一分《いちぶ》の陰《かげ》りもなさそうであったのに、宗次はゆっくりと歩みつつ険《けわ》しい目つきを辺りに向けていた。

由香の手に風呂敷包みを預けた幸は、宗次のその急な変化に気付かぬ筈《はず》もなかったから、然《さ》り気《げ》なく由香の体を庇《かば》うようにして後ろへやった。

「お前様……」

「心配《しんぺい》するな」

「はい」

宗次と幸の間に交《か》わされた小声の会話は、それだけだった。大剣聖として知られた梁伊対馬守隆房から、幼少の頃より厳しい教えを受けてきた宗次の真の姿——神将伐折羅の如《ごと》き——をよく知る幸にとっては、「心配するな」の宗次のひと言は、まさしくその言葉通りであった。

二人の様子から、小さな異変でも感じたのであろうか、さすがに由香が怪訝《けげん》な顔つきとなる。

(何でえ、この妙な気配は……)

宗次は胸の内で首をひねった。何処《どこ》ぞに人ひとりが隠れていたとしても容易に見つけることの出来そうな段段畑の広がりであった。畑の段差も浅くてやさしい造りで、よく手入れされ美しく整った広がりだ。

だが、耕作が一段楽して実りの時季に入っていることもあってか、畑にはひとりも百姓の姿は見当たらない。耳に入ってくるのは、小鳥の囀《さえず》りと虫の音《ね》だけだった。

三

勾配《こうばい》の緩やかに蛇行した道を上がり切って小野宮家の簡素な四足門が目の前となっても、宗次の油断ない目配りは変わらなかった。

「おや、これはまあ宗次先生。それにお嬢様……」

門扉《もんぴ》が開かれてあった四足門から不意に現われた老爺の穏《おだ》やかな声がなければ、宗次の険しい目つきはまだ続いていたかも知れない。

「やあ精市《せいいち》さん、お久し振りです」

「ほんにお久し振りです先生。ささ、お入りなされまして」

老爺は手にしていた竹箒《たけぼうき》を門扉に立てかけると、促《うなが》すように左手を庭内へ流す仕草を見せて腰を丁寧に曲げた。嬉しそうに目を細めて、満面《まんめん》の笑《え》みであった。

「精市、母の具合はどうなのですか」

と、幸が四足門を潜《くぐ》ろうとはせず心配そうに訊ねる。

「はい。今日、明日あたりにはお嬢様がお見えなさるとお知りなされて、なんだか急に元気を取り戻されたような……」

「そうですか。それを聞いて安心しました」

六十過ぎに見える精市という名の老爺は、長く小野宮家に仕えて十数人はいる使用人の上に立つ「執事《しつじ》」のような存在だった。

「執事」という言葉・役職自体は古くからあって、平安時代初期にはすでに存在し、藤原基隆《ふじわらのもとたか》が白河院《しらかわいん》初代執事（いわゆる執事別当）に就《つ》いている。この白河院とは京都鴨川《かもがわ》の東、白河の地に在《あ》った藤原摂関《せっかん》家の別業《べつぎょう》（別荘。業は、屋敷の意）を指しており、のち此処《ここ》が白河天皇（天喜《てんぎ》元年・一〇五三～大治《だいじ》四年・一一二九）の御所となった。

「そうそう精市は、由香に会うのは今日が初めてですね」

幸が由香のことを「行儀見習いで老舗の呉服問屋『沖乃屋』さんから預かっています」と精市に紹介して、三人はようやく四足門の下を潜った。

三人の前に立つ精市の足は玄関式台《しきだい》へは向かわず、咲き乱れる柚香菊《ゆうがぎく》――ユズの香りがする――に囲まれたかなり大きな池の畔《ほとり》を通り、サヤサヤと枝音立てるまだ紅葉していない楓《かえで》の林の中を抜けて、明るく広い場所に出た。

そこは一面、青青と繁る腰高の低木で占められ、白い花弁をやや下向きにいっぱい咲かせて、ほのかないい香りを漂《ただよ》わせていた。

はじめて訪れた由香はまだ知らなかったが、宗次は小野宮右衛門が大事に栽培している茶畑と承知している。

茶畑の向こう側には母屋《おもや》と渡り廊下でつながっている離れがあって、母屋、離れ共に茅葺《かやぶき》のどっしりとした堂堂たる造りであった。

小野宮家といえば近隣四方に知られた大庄屋であったから、簡素ながらさすがな屋敷構えだ。

老爺精市が幸と目を合わせて小さく頷き、宗次に「ごゆっくりなされませ」と頭を下げて元きた道を静かに引き揚げてゆく。

離れが右衛門夫婦の居室であることについても承知している宗次であった。

「私《わたし》は念のため屋敷の内外《うちそと》をひと回りしてからゆくので、先に由香と一緒に母上様を見舞って差しあげねえ」

宗次が離れの方を見ながら小声で幸に告げた。

「お前様……」と、幸の表情が曇る。

「心配はいらねえ。あくまで念のためにひと回りする程度でい。なにしろこの屋敷の内外《うちそと》は余りに広いんでな。さ、大丈夫だから行きなせえ」

「はい……それでは」

「但《ただ》し、野兎の風呂敷包みは、病床の母上にお見せしてはならねえよ」

「心得ております」

幸は不安そうだが、七、八歩ばかり後ろで茶畑の白い花に見とれている由香の方を振り返った。

「由香さん、参りますよ」

幸は茶畑の中の小道を離れに向かって歩き出し、由香が少し慌て気味に宗次の横を小駆けですり抜け、幸の背に追い付いた。

宗次は二人の後ろ姿が茶畑を通り抜けるのを待ってから、老爺精市が引き返した道を戻っていった。

さっぱりとした簡素な構えの四足門を出た宗次の目は、険しさというよりも鋭さを見せていた。

なだらかに目黒不動の方角へと下がりつつ東西に広がっている田畑を暫《しばら》くの間眺めていた宗次は、やがて小野宮家の長い土塀に沿って歩き出した。土塀の外側にもツツジや皐月《さつき》などの低木が植え込んであって、よく手入れされた小野宮家の庭となっている。

土塀は高さ五尺を少し超えるほどであった。近隣に名家として知られた大庄屋、小野宮家であったが、土塀も簡素なもので漆喰《しっくい》塗りなどではなく、赤土《あかつち》のままである。したがって、塀の強度を増すために赤土の中へ散らすようにして埋め込まれた黒瓦《くろがわら》の縁《へり》が露出している（練塀《ねりべい》という）。

また土塀の頂《いただき》には長年に亘《わた》る雨雪などで土塀が溶け崩れぬよう、土管を半截《はんさい》したような半円筒形状の古い丸瓦（牡瓦《おがわら》ともいう）をのせていた。

この丸瓦を用いる技術的思想は「本瓦葺の一手法」として飛鳥《あすか》時代にまで遡《さかのぼ》り、したがって歴史ある古い神社仏閣の多くにこの牡瓦を用いた瓦葺が見られる。

このことから、長い土塀の頂に年月を感じさせる古い丸瓦を切れることなくのせている小野宮家の由緒《ゆいしょ》が、想像できるというものであった。

土塀の北側――四足門の反対側――まで来て宗次は立ち止まった。

暫く身じろぎもせず佇《たたず》んでいた宗次の口から、ぽつりと「……出やがった」と漏れた。

その視線が、土塀から十五、六間の間近にまで迫っている森の西側――雑木まじりの荒れた竹林――に注がれている。

その竹林からぐいぐいと迫ってくる目に見えぬ不快な気配を宗次は捉えていた。

またしても〝あの気配〟である。

宗次にとってこの上もなく大事な花畑を幼い若様とやらに踏み荒させておきながら、ひと言の詫びも述べなかった大名家の御正室や家臣たちと思《おぼ》しき不可解な一団。

その一団が放っていた何とも面妖《めんよう》な気配がいま、荒れた竹林から真っ直ぐに突き進んできつつあった。殺気とは違った。面妖な気配、としか捉えようがなかった。

「真っ昼間から妖怪でもあるめえが」

と小さく舌打ちをした宗次は、自分の方から雑木まじりの荒れた竹林へと足早に向かった。

と、その面妖な気配が、小泡《こあわ》が吹き飛ばされるかのように、ふっと消え失《う》せた。

このときになって宗次は、背すじに感じていた悪寒《おかん》が一気に膨《ふく》らむのを覚えた。ねばついたものが背中に張り付いて、容易に取れない感じだ。

「こいつあ、まずい……」

と呟いた宗次は、四足門へと急ぎ引き返した。なぜか、幸を守りの無い場に置いてはおけない、という不安が頭をもたげていた。

四足門を入った宗次は、大きな池の畔《ほとり》を風のように走り抜けて、楓の林の中へ入った。

その瞬間だった。

「ほほほほっ」

なんと、不意に女の甲高《かんだか》い笑い声が耳に入ってきた。若い響きだった。

本能的に身の危険を覚えた宗次はひときわ大きな楓の下で素早く地に体を伏せ

た。澄んだ笑い声であったが、幸のものではないと明らかに判る宗次だった。

けれども、その甲高い笑い声はその一度きり。

「しまった」と宗次は身を起こして、脱兎の如く走り出した。僅《わず》かに数呼吸の間とはいえ、取り返しのつかぬ刻《とき》を奪われたと気付いた。

よく知り抜いている楓の林である筈《はず》だった。小道の緩やかな曲がり具合も、幾つか配置されている石灯籠《いしどうろう》の位置も承知していた。

にもかかわらず、容易に林から抜け出せない。

宗次は懸命に走った。すでに全身から汗が噴《ふ》き出していた。

ようやく林が切れて明るい茶畑に出た宗次であったが、そのまま凄まじい勢いで白い茶花を吹き飛ばし、離れへと向かった。

「ほほほほっ」

またしても女の笑い声であった。しかし、それは穏やかで控え目な響きであった。

宗次の足が、茶畑の中ほどでようやく止まった。

静かな日差しが満ちた離れの広縁《ひろえん》に座布団を敷き、三人の女性《にょしょう》の笑顔があった。

幸に由香、それに身形を整えた幸の母親里江《さとえ》五十二歳の三人である。

ホッとした表情となって、宗次は佇んだ姿勢のまま辺《あた》りを見まわした。甲高い女の笑いが響きわたった異様な気配は、ここには微塵《みじん》も窺《うかが》えない。

宗次の油断のない視線が母屋の大屋根、高床となっている渡り廊下の下、そして離れの大屋根へと移ってゆく。

だが、いつもの堂堂たる大庄屋の寝殿造《しんでんづくり》風《ふう》な茅葺屋敷だった。

「あの甲高い女の笑い声は、耳の錯覚だったのか……いや、それにしては」

宗次は首を小さくひねりもう一度、母屋、渡り廊下、離れ、と見ていった。

庄屋（名主）の言葉・地位は戦国時代から存在し、江戸時代に入ると「庄屋」は比較的京・大坂以西に多く、江戸以東では「名主」が多かった。

だがそれはあくまで〝比較的〟の範囲であって、必ずしもそうと決まっていた訳ではなく、同一藩内であっても、とくに大藩などでは混在している場合が少なくなかった。

また東北諸藩では、「庄屋」「名主」に代わる言葉として「肝煎《きもいり》」とか「年寄《としより》」

とも呼ばれる地域があったりした。

いずれにしろ「庄屋」は、力のある村長《むらおさ》の重量級な呼称として多くの地域で大切にされたようである。

また戦国時代の「庄屋」や「名主」には地侍《じざむらい》が就いたことが多かったが、時代が移るにしたがって領主の実質的権威によって豪農にその地位が与えられる地方が出現し出した。

しかし、京・大坂や遠国《おんごく》と呼ばれた地方の国国では代代の世襲が極めて多かった。

（どうやら大丈夫か……）

と、判断した宗次は離れへと近付いていった。

幸の母親里江が、次第に近付いてくる宗次の姿に気付いた。

「これはまあ宗次殿、お久し振りでございます」

正座した座布団の上で丁重《ていちょう》に三つ指をついて里江に頭を下げられた宗次は、

「やあ、母上様……」と足を速めて茶畑から出ると頭を下げた。

「母上様」という呼び方は、はじめて里江と会った時からの呼び方であった。

宗次の人柄なのであろうか、それが全く不自然ではなかった。

「お風邪を長びかせていると聞いて心配いたしておりましたが、ご気分は如何《いかが》でございますか」

と、いつもの小気味よいべらんめえ調を抑《おさ》える宗次であった。

「御陰様《おかげさま》で今日はとても体の調子が宜《よろ》しいのです。宗次殿が見えられると先程幸より聞かされまして、尚のこと気分をよく致しておりました」

と、美しく相好《そうごう》をくずす里江だった。さすが幸の生みの母だけあって、五十二歳になるとはいえ、その気品、その端正な面立《おもだ》ちはさすがであった。

宗次は「さ、どうぞお上がり下されませ」と里江に促されて広縁に上がり、座敷から幸が持ってきた座布団の上に正座をした。

「いきなりお訪ね致しましたる無作法をお許し下さい。この通りお詫び申し上げます」

宗次は里江に向かって、改めてきちんと頭を下げた。幸の両親《ふたおや》、小野宮右衛門・里江は共に幸から打ち明けられて、今や「徳川宗徳《むねのり》としての宗次」の身分素姓を詳しく知る人であった。宗次もむろん、知られていることを承知している。

由香は宗次からべらんめえ調が消えたことで、やや不思議そうな顔つきを見せていた。

里江は心底から嬉しそうだった。

「宗次殿ならば、いつ何時《なんどき》お訪ね下されても宜しいのですよ。目黒村で幼少期をお過ごしなされた宗次殿ですゆえ、この屋敷を生家《さと》であると思いなされて、遠慮のうお越《こ》しになって下さい」

「ありがとうございます」

宗次は笑顔で応じてから、幸と視線を合わせると、その視線を然《さ》り気《げ》なく由香が膝の上にのせている風呂敷包みへと落とした。

幸が口元に微かな笑みを見せて小さく頷き「由香さん、せっかく私《わたくし》の生家《さと》へ参ったのですからお台所の場所を知っておいて下さい」と、立ち上がった。

「はい」と由香も腰を上げ、二人は広縁を渡り廊下の方へ歩き出し、里江と宗次だけが残った。

ホーホケキョと秋鶯の澄みわたった綺麗な鳴き声が茶畑に広がって、「ほんに神様はなんともいわれぬ美しい鳴き方をおつくりなされて……」と里江が思わず目を細める。

「ええ、まことに……」と、宗次もこっくりと頷いて聞き入ったが、その鍛え抜かれた〈気配読み〉の鋭い全神経は、里江を中心に置いて全方位へ向けられていた。

「あの……宗次殿……いいえ、宗徳様」

秋鶯の囀りが消えさると、真顔になった里江が座布団から退がって両手をつき、深深と頭を下げた。宗次の面《おもて》に目立たぬ程であったが困惑が走った。

「幸の母としてお願いでございます宗徳様……」

「母上様。私の徳川宗徳としての部分には決して触れぬ、決して表には出さぬというお約束でございました。お忘れなされては困りまする」

「決して忘れてはおりませぬ。ただ、こうして二人だけになった時の一度だけに限りまして、幸の母としての甘えをお許し下されませ」

「幸のことを御心配なさっておられるのですね」

「は、はい。老境に入りましたる女の身と致しましては、それこそ毎日のように幸の仕合わせを祈っておりまする。いくら『夢座敷』が繁盛いたしましょうとも、店構えが立派に大きくなりましょうとも、幸の生みの母と致しましては、娘の女としての当たり前な仕合わせを願うばかりでございまする」

「当たり前な仕合わせ……とな」

「あの若さで夫を亡くしましたる哀れな身でありまするだけに、幸の当たり前な仕合わせを願う母親としての思いは、年月《としつき》を経ると共に強くなるばかりで、そのため心の休まることがありませぬ。宗徳様……どうか今日は……失礼なるお訊ねをする無作法をお許し下されませ」

「何をお訊ねになられても構いませぬが……」

「ではお訊ねさせて下さりませ宗徳様……宗徳様にとって幸は今、どのような立場でございましょうか。単に知り合《お》うた仲だけのこと、なのでございましょうか」

宗次を見つめる里江の目には、涙が浮かびあがっていた。それだけ、我が娘の仕合わせというものを必死で願っているのであろう。

宗次は、我が子の仕合わせを願う母親の感情の激しさというものを突きつけられて一瞬息を止めた。

それは生みの母というものを知らぬ宗次にとって、余りに鮮烈な現実であった。

宗次はやや背すじを伸ばすと、労《いたわ》るようにして物静かに里江に告げた。

「お答え致さねばなりますまいのう母上様。今日がその日になろうとは思いも致しておりませなんだが、しかし……お答え致しましょう」

「はい」

「幸は、我が命。この言葉に代わる言い様《よう》は、もはや見つかりませぬ」

「おお、宗徳様……」

「御安心なされませ。この宗次、我が命を賭《か》けて幸の生涯をお守り致す。天地神明に誓って……」

「勿体《もったい》ないお言葉。ありがとうございまする。もう何も申し上げることは御座いませぬ」

「幸の仕合わせこそを、我が仕合わせと致す。これでお宜しいか母上様」

「は、はい……」

頷いた里江の両の目から、大粒の涙がこぼれ落ちた。

「さ、座布団の上にお戻りなされ。そして二度と徳川宗徳の名は口にせぬと誓うて下され」

「お誓い申し上げます。二度と口に致しませぬ」

里江は涙を拭おうともせず、宗次に促されて座布団の上に戻った。また秋鶯の囀り鳴きが二度、三度と広い庭に綺麗に広がった。

四

幸が神楽坂の「夢座敷」へ戻らねばならぬ事もあって、まだ太陽《ひ》が高いうちに早目の夕食が、離れの小台所《こだいどころ》付き十六畳の客間で行なわれた。

宗次にとっては幾度目かになる客間である。

献立は、兎肉《うさぎ》や人参《にんじん》、大根、牛蒡《ごぼう》などの根菜類《こんさい》に加え小野宮家自慢の手作り豆腐《とうふ》がたっぷり入った巻繊風《けんちんふう》味噌汁と漬物に御飯。それだけだった。

贅沢《ぜいたく》を慎《つつし》む大庄屋小野宮家の家風が、客を迎えたその献立にあらわれていた。

「さあさ、宗次先生、遠慮のうお呑《の》み下さいまし。酒だけは良いのがたっぷりございますから」

はや頰を赤らめている小野宮右衛門五十六歳が、にこやかに徳利《とっくり》を宗次の方へ差し出した。二人の間で、まだ上品な小さ目の徳利が二本空になっただけであるから、侍然《さむらいぜん》とした男らしい面立《おもだち》に似ず酒に余り強くないと判る右衛門だった。むろん宗次は心得ている。

「本当に美味《おい》しい酒です。遠慮なく頂戴《ちょうだい》致しております」

宗次は萩焼《はぎや》きのぐい呑み盃《さかずき》に受けた「灘の生一本」と思われる酒を一気に呑み干し、「お見事……」と目を細めた右衛門が「さあ……」と、また催促した。

宗次が、かなり名品と判るぐい呑み盃を「戴《いただ》きましょう」と笑顔で差し出す。

「私も酒は大好きでございますが宗次先生ご存知のように、あまり量がいけないのを残念に思っております」

「父上様はなるほど直ぐに頰が赤くなられますが、しかし姿勢を崩されたことがありません。終始、古武士の如《ごと》く悠然《ゆうぜん》としておられます」

「ははは……それは宗次先生の御前《おんまえ》だからでございますよ。見苦しいところを見せてはならぬと緊張致しておるのです」

「私《わたくし》の方こそ父上様を前に致しますと、いつも何故か妙に緊張致します」

「あ、では同じですな」

「はい。同じでございます。はははは っ……」

宗次が口にした古武士とは、信義を欠かさぬ作法礼儀正しい戦国武将の風格を指したものだった。

右衛門の隣に座って二人のやりとりを眺める里江は時に小さく頷《うなず》いたりして満足そうであった。

顔色も風邪など忘れたかのように、すっかりよくなっている。

この広い十六畳の座敷で高脚膳《たかあしぜん》(四脚が高目になった膳)を囲み向き合っているのは、右衛門夫婦に宗次、そして幸の四人だけだった。

行儀見習いで幸に仕えている呉服問屋のひとり娘由香は、自ら進んで小台所の仕事を手伝っている。

里江は、広縁で宗次と交わした胸温まる話を、まだ夫にも幸にも伝えていない。

いや、幸の母として自分ひとりの胸に静かに納めておこう、と思っていた。

宗次のひと言ひと言に安心したのであった。

大きな安心だった。

「今日は幸も少しは嗜《たしな》んでもよかろう。どうじゃ……」

右衛門が宗次の隣に座っている娘にやや遠慮がちに徳利を差し出したが、幸は「いいえ」と首を小さく横に振った。

「神楽坂へ戻れば戻ったで、あれこれと仕事がございます。夜遅くまで一生懸命に働いてくれている使用人の前へ、酒気帯びで帰る訳には参りません」

「そうか……そうだの、うん」

頷いて顔いっぱいに笑みを広げた右衛門は、幸に差し出した徳利を「さ、もう一ついきましょう先生」と右へ泳がせた。

「あなた……」と里江が、柔和《にゅうわ》な表情だが微《かす》かに眉をひそめる。

「少しお急ぎ過ぎですよ。宗次先生のお体に宜《よろ》しくありません」

「うーん。じゃあ、たまには私自身で急いでみると致そうか」

「そうなされませ。宗次先生はいつも味わってゆっくりと呑まれる御方《おかた》ですもの」

里江はそう言いつつ右衛門の手からそっと徳利を取りあげると、夫が手にした盃へ申しわけ程度注《つ》ぎ足した。

右衛門が言った。

「今日は嬉しい……久し振りに宗次先生がお見え下されて気持の隅隅《すみずみ》にまで日が射すようです。実に嬉しい。本当によくいらして下さいました先生」

盃を手にしたまま大庄屋小野宮右衛門は頭を下げた。

里江が「こぼれますよ、あなた」と右衛門の盃を気遣《きづか》い、宗次も「こちらこそ御無沙汰致しておりました父上様にお目にかかる事が出来て、温かな気分でございます」と軽く頭を下げ返した。

ほのぼのとした和《なご》やかな雰囲気が四人を包んでいた。宗次の隣に座る幸は言葉少なかったが、その美しい表情に仕合わせが満ちているようだった。

ときおりチラリと美しい我が娘に視線をやる端正な里江の表情も、また同じであった。

本来ならこの和やかな席に、幸の兄市衛門《いちえもん》夫婦と嫡男《ちやくなん》市蔵《いちぞう》が加わるところであったが、市衛門は年に二度ある近郷《きんごう》十数カ村・庄屋組合の寄合《よりあい》に出るため昨日から目黒村を離れており、妻女阿紀《あき》、嫡男市蔵ともに市衛門に付き従っていた。

阿紀は寄合中の夫に生じる煩《わずら》わしい雑用を手伝うため、市蔵は将来に備えて庄屋組合の寄合なるものを「学ぶため」だった。

一昨年まで小野宮右衛門はこの庄屋組合を統括する頭取《とうどり》の立場にあったが「長くやり過ぎた」と次席にあった者にその地位を譲《ゆず》っていた。

今は自由な立場の〈重鎮〉として、中小庄屋たちの相談に乗ったりしている。

「ところで宗次先生……」

徳利四本が空になったとき、右衛門がそれ迄の表情を改めて背すじを伸ばし、両手を膝の上に置いて真っ直ぐに宗次を見た。

幸が手にしていた箸《はし》をそっと戻し、夫の横顔を見る里江の表情がやや硬くなった。

「今日はこの小野宮右衛門、宗次先生に是非にものお願いがございます」

「と、申されますと？……どうぞ仰《おつしや》って下さい」

「はい。では言葉を飾らずに申し上げます」

右衛門はそう言うと、座っていた座布団から退《さ》がって、丁重《ていちよう》に両手をつき頭《こうべ》を垂れた。

「あなた……」

夫が何を言い出すのかと里江が慌《あわ》て気味に、夫の肩に手を置いた。

右衛門は姿勢を戻すと、まず妻を見、次に幸を見て言った。

「これは大庄屋小野宮家としての、宗次先生への真剣この上ないお願いなのだ。お前たちも私の言葉をきちんと聞いていなさい」

言い終えて、右衛門は宗次と顔を合わせた。

しかし宗次の表情も姿勢も、ふわりとして柔和なものだった。

「宗次先生……」

「はい」

「先生はすでにお気付きかと思われますが、この客間の花鳥風月のひとかけらも無かった味気ない八枚の襖《ふすま》は相当に黄ばんで参ったものでございますから、ご覧の通り五日前に白襖《しろぶすま》と張り替えを済ませてございます」

「ええ、そのようですね。なかなか腕のいい職人が手掛けたようで、ひと目見て上手な張り替えだと判ります」

「その通りでございましてね先生。品川《しながわ》宿のはずれに評判の老襖職人がいるのですよ。あちらの大店《おおだな》こちらの武家屋敷からと注文が引きも切らぬところを無理を言って、この屋敷に泊まり込みで張り替えて貰いました。そこで先生……」

「仰りたい事が大体判って参りましたよ父上様」

「え、そうですか。それでは先生……」

「宜しいです。お引き受け致しましょう。何を画題とするかは私《わたくし》の口から言わせて下さいませぬか」

「それはもう喜んで……」

「では八枚の襖の内の四枚に、母上様と幸の姿絵を描かせて下され」

「おお、先生……それを……それをどれほど望んでおりましたことか。この通りお礼を申し上げます」

　右衛門は再び両手をついて深深と頭を下げた。その丁重《ていちょう》さは今や天才的浮世絵師と評《ひょう》されている宗次に対する心の底からの作法と敬意であると同時に、宗次と表裏一体となっている〈徳川宗徳〉への畏敬《いけい》の念でもあった。

　だが後者についてては、軽軽しく口から出すべきでないことを、右衛門は心得ている。なんとかして口に出したいと思っているのは、美しい我が娘の仕合わせに、宗次先生が今後どのように関わって下さるのか、それとも関わって下さらぬのか、父親として是非にも知りたいという事であった。

右衛門は、里江が「幸は我が命……」という目の眩《くら》むような言質《げんち》を宗次から告げられたことをまだ知らない。

「まあまあ、父上様。どうか座布団の上にお戻り下され、堅苦《かたくる》しいのは苦手《にがて》な私《わたくし》でございますゆえ」

「は、はい……左様《さよう》でございました」

頷《うなず》いて右衛門は座布団の上に戻ってから、もう一度小さく頭を下げた。

話が予想もしていなかった方向へ、それも自分と美貌の娘の姿絵が宗次の手で白襖に描かれると知って、里江の顔は紅潮していた。

一方の幸は切れ長な目を細めて嬉しそうであったが、物静かに自分を抑《おさ》えている。

「あのう……先生……」

と、里江は座布団の上で膝を前に滑《すべ》らせる仕草《しぐさ》をしてみせつつ、三つ指をついて宗次と目を合わせた。

「夫が無理を申し上げたのではございませぬか。それこそ引きも切らぬ御多忙の毎日と幸より聞かされております。お大名家、お旗本家、それに寺院神社への出入り少なくない先生のお仕事に支障の生じるようなことがありましては大変でございます」

「いいえ大丈夫です。今日明日にも描き始めるという訳ではありませぬから。張り替えた白襖がしっかりと乾くまでは、少なくとも半月以上は待たねばなりません。充分に乾かぬ内に描き急ぎますと、思わぬ色褪《あ》せが生じたり致します」

「あ、左様でございましたか。半月以上先とお聞きして少し安堵《あんど》致しました」

「ええ。その間に、小野宮家の絵仕事のために充分な日程の遣《や》り繰《く》りが出来ましょう。安心なさって下さい」

「幸と一緒に真新しい白襖の中に描いて戴けるなど、母としてこれ程の喜びはございませぬ。ありがとうございます。それでは先生のお言葉に甘えさせて戴きます」

「楽しみにお待ちになっていて下さい」

「はい。それはもう……」

里江は、にっこりと笑みを返した。

「ところで宗次先生……」と、右衛門が妻の言葉のあとを継いだ。

「お支払いさせて戴くべき画料の件でございますが……」

「要《い》りませぬ」

「え？」

「画料を頂戴するなど、とんでもない事です。要りませぬよ父上様。無代で結構です。幸と母上様はこの浮世絵師宗次にとって最高の画材。むしろ私の方から充分なる謝礼をお支払いさせて戴きたいくらいです」

「そ、それでは余りに……私共の耳に入って参りまする先生の画料は今や……」

「まあまあ父上様。お宜しいではございませぬか。今も申し上げましたように幸と母上様は私にとって無くてはならぬ最高の画材。いずれはこの客間の白襖に描かせて戴きたいと思うておりましたのです。確かに張り替えるまでのこの客間の襖は黄ばみがいささか進み過ぎておったようですが、それはそれなりに描き様《よう》がございますことから、近い内にお願いに上がろうと考えていたのです」

「それはまた……」

「ですから父上様。画料の話はここまでとして下され。ささ父上様、もう少しは大丈夫でございましょう。いきませぬか」

宗次が微笑《ほほえ》みながら徳利を差し出すと、右衛門は古武士のような渋い面立ちの中に思い切り笑みを広げて「はい」と頷き、ぐい呑み盃の中に残っていた酒を勢いよく呑み干して空にした。

この時であった。

開放されている障子《しようじ》の向こうに展《ひろ》がった広広とした庭の東側、白い花を満開に咲かせた枝張《えだは》りが見事な高木《こうぼく》の辺りで、「ホウーホケキョ」と秋鶯が囀《さえず》り鳴いた。

「まあ綺麗《きれい》な囀りだこと……」

「うん、今年の秋は一際《ひときわ》よく鳴いてくれるのう」

右衛門夫婦が揃って障子の外へ視線を流し、秋鶯が続けざま「ホーホケキョ」を繰り返した。

宗次は穏《おだ》やかな表情で、右衛門が差し出して胸の高さで止めているぐい呑み盃に、トクトクトクと小音《こおと》立てて酒を注いだ。いい音だった。

「どうぞ、父上様」

「あ、これは失礼」

右衛門が盃を口へ持ってゆき、秋鶯が「ケキョ、ケキョ、ケキョ……」と頭の部分を省《はぶ》いて囀る。

宗次の目が一瞬だが鋭い光を放ったのは、その囀りを聞いたときだった。

驚きはその後に続いた。

終始口数の少なかった幸が手にしていた箸を静かに膳に戻し、そして然り気なく宗次の横顔へ涼しい視線を流したのだ。それはまるで宗次の目が一瞬鋭く光ったのを察知したかの如くであった。

「お前様……」と、幸がそっと宗次に声をかける。

右衛門夫婦は思わず背すじを反《そ》らせた。衝撃に似たものを受けていた。実は幸が宗次に対して「お前様……」と声をかけたのを初めて耳にしたのである。

それは愛する美しい娘の胸深くに、宗次に対して揺るがぬ強い想いがあると判らせてくれるものだけに、右衛門夫婦は思わず息を止めてしまった。

宗次が「ん？」と、優しい眼差《まなざ》しを幸へ向ける。

「今日はこの機会に、床の間に飾ってございます小野宮家に伝わる刀を検《み》て下さいませぬか」

「おう、あれのことかな……」と、宗次の視線が床の間へと流れた。

「お宜しいですわね御父様《とう》、お母様《かあ》」

「うむ、それは一向《いっこう》に構わぬが、何故にまたこの席で急に……」

幸は訝《いぶか》し気な右衛門には答えず、すらりと立ち上がるや床の間へゆき刀架けの大刀に手を伸ばした。かなり重厚な拵《こしら》え、と宗次には判る大刀だった。

幸はそれを着物の両袖《りょうそで》で大事にくるむようにして宗次の横へ戻り、手渡した。

先程の宗次に生じた一瞬の鋭い眼光……というよりは一瞬の心の変化を捉《とら》えた幸は、宗次の身近に刀を置かなければ、と判断したのだった。また、そうと判らぬ宗次ではなかった。それゆえに、幸から大刀を受け取ったときの幸を見る宗次の眼差しは、一層のこと優し気であった。

「検《み》せて戴いてお宜しいですか父上様」

宗次は赤顔《せきがん》となっている右衛門と目を合わせて念を押した。顔は赤くともほとんど酔い崩れてはいない右衛門だった。

「構いませぬ。いつの頃より小野宮家に伝わっているのか、もうひとつ判然と致しておらぬ刀です」

「左様ですか。実は初めて目にとまった時から、気にはなっていた刀でございました。では拝見……」

告げて宗次は、目の前に柄《つか》を下にして大刀を真っ直ぐに立て、刀身を引くのではなく鞘《さや》の方をゆっくりと、もどかしい程にゆっくりと引き上げていった。

刀身と鞘の擦《こす》れ合う音に、聴覚を集中していたのだ。

聞こえるか聞こえないかの、その微かな音――いやむしろ気配――から、大凡《おおよそ》の鍛造《たんぞう》年代を突き止める〈耳の業《わざ》〉を、父であり文武の師である今は亡き梁伊対馬守から教え込まれていた。

再び秋鶯が「ケキョ、ケキョ、ケキョ……」と囀り鳴いた。今度は、いやに激しい囀りだった。綺麗な響きが消えて、濁《にご》りが出ているようなその囀り方に、

「なんだ、あの囀りは……」

と、右衛門が控え目にだが眉をひそめた。

しかし宗次は殆《ほとん》ど無表情のまま鞘を払い終えると、刀身に視線を注いだまま鞘を左脇に横たえた。見る者に、深みのある静けさ、と思わせる宗次の鞘の扱い方だった。

宗次は、鍔元《つばもと》から切っ先までを穏やかに繰り返し検《み》ていった。

右衛門も里江も、宗次の穏やかな目の奥にこれまで見たこともないような真剣さがあると判ったのか、固唾《かたず》をのんだ。

次に宗次は、刀身を鞘に戻して、柄・鞘など全体の拵えに注意を払い出した。

宗次の口から、ようやく「ほう……」と小声が漏れて、右衛門と里江が思わず顔を見合わせる。

「父上様、大凡のことが判りました」

「下級武士が合戦で振り回していた鈍刀《なまくら》……ではありますまいか」

「いいえ、これは相当な名刀と思われます。目釘をはずして柄を取ればその下におそらく、それを証する刻印がございましょう。鋒《みね》(切っ先)や刀文、拵えなどに著《いちじる》しい特徴が見られますことから、後醍醐《ごだいご》天皇の身そばに仕《つか》えていたと伝えられている名刀匠《めいとうしょう》……」

「まあっ」

宗次の言葉を皆まで待たずに驚いたのは、右衛門ではなく里江の方だった。

宗次は「はい」と頷くと柄を抜き外そうとはせずに大刀を幸の手に預け、里江を見つめて言葉の先を続けた。

目釘をはずして柄の下の刻印を見ずとも、すでに確信的な結論を持っている宗次の表情だった。

五

宗次に付き添われた「駕籠清」の二挺《にちょう》の駕籠が大庄屋小野宮家の正門から、右衛門夫婦や使用人たちに見送られて出てきたのは、日がとっぷりと暮れてからだった。

ただ、今宵《こよい》は見事な満月だ。

「先生、二人を神楽坂までひとつ宜しくお願い致します」

足元提灯《ちょうちん》を手に頭を下げた右衛門に、これも足元提灯を手にした宗次が「必ず送り届けます。どうぞご安心を……」と応じた。

二挺の駕籠も棍棒《かじぼう》の先端に龕灯提灯《がんどうぢょうちん》をぶら下げている。

月明りの下《もと》、宗次は駕籠を先導した。勝手知ったる目黒村だった。何処其処《どこそこ》に枝道や登り下りや崖や沼がある、とまで知り抜いている。屈強の駕籠舁《か》きたちも地元目黒では夜道でも迷うことはないだろうが、江戸市中に入ると迷路のような大路小路から近道を選ぶには頭に江戸地図が入っている宗次を頼る方が遥かに手っ取り早い。

「えい、ほいさ。えい、ほいさ」

目黒不動そば「駕籠清」特有の掛け声で、二挺の駕籠はかなりの速さで大庄屋小野宮家から次第に遠ざかっていった。

大の男を乗せた駕籠だと、いくら屈強の駕籠舁きの足でも、こうは速くは進めない。

「疲れたら遠慮なく言ってくんねえよ、繁造《しげぞう》どん」

宗次は「養安院様の道」を暫《しばら》く行った辺りで前方を向いたまま、後ろへ声をかけた。べらんめえ調が戻っていた。

宗次の直ぐ後ろ、つまり前の駕籠舁きから、ダミ声が返った。

「なあに宗次先生。乗って下さっているのは吉祥天女か小野小町かってえ幸お嬢様と、まだ十四、五の娘さんだい。今宵はこのまま水戸《みと》までだって行けまさあな」

「そうかえ。ありがとよ」

「駕籠清」は目黒不動そばに古くからあり、したがって宗次の今は亡き父梁伊対馬守もよく利用した。

宗次も父の墓に参った時は、雑談で「駕籠清」へ立ち寄ったり駕籠を利用したりと交誼《こうぎ》を絶やさない。

前の駕籠には幸が、後ろの駕籠には由香が乗っていたが、二人の様子は対照的だった。由香ははじめてどっしりとした大構えな大庄屋の屋敷というものを訪れ見て感動し、また離れの小台所では使用人たちと一緒に立ち働いたり共に食事をしたりで気疲れしたのであろう眠りこけていた。

幸は自分が乗っている駕籠の前をゆく宗次の足音を、心静かに捉えていた。幸には宗次の足音と駕籠舁きたちの足音との違いがはっきりと判った。

いい足音だこと、と思った。宗次の何もかもが大好きな幸であった。

（それにしても……お前様は何と凄い御人《おひと》でありましょう）

幸は胸の内で声なく呟いた。

いつの頃からか小野宮家に伝わる、しかし由緒《ゆいしょ》不明であった古刀を「後醍醐天皇の身そばに仕えていたと伝えられている名刀匠霧佐定《きりのすけさだ》の絶頂期の作」と鑑定したのだ。

しかもその口調は推測的な断定ではなく、確信的な断定であった。

さすがに幸も驚いたが、右衛門夫婦の驚き様はそれはもう大変なものだった。

けれども右衛門は、さすが幸の厳父だった。刀の柄を取り外してその下の刻印で、宗次の鑑定を確かめるような見苦しい真似《まね》はしなかった。宗次の鑑定それ自体を家宝とでもするかのように、刀架けを離れの客間から母屋の右衛門の書院へと移し、その床の間に下がっていた掛け軸「君子不重則不威」の前へ横たえたのである。論語の「君子《くんし》重《おも》からざれば則《すなわ》ち威《い》あらず」であった。君子たる者は重重しく泰然《たいぜん》としていなければ、威厳が失われる。外が軽いものは内面も軽いの意であろう。

「えい、ほいさ。えい、ほいさ」

駕籠舁きたちの力強い掛け声にも速足の調子にも、衰えはいつまでも訪れなかった。

そのことが幸の豊かな胸の内側あたりに潜《ひそ》んでいた一抹《いちまつ》の不安を、多少なりとも抑《おさ》えてくれていた。

（あの異様《いよう》とも言える不快な秋鶯の囀り方は一体……）

幸は、それによって宗次が一瞬にしろ鋭い反応を見せたことは間違いない、と思っている。父右衛門が「なんだ、あの囀りは……」と眉をひそめたにも拘《かか》わらず、宗次がそれについて結局ひと言も触れなかったこと、そのことの方をむしろ幸は心配した。

どの辺りまで来たかしら、と幸は駕籠の簀垂《すだ》れ窓を指先でそっと細目に押し開けてみた。「駕籠清」の町駕籠で簀垂れ窓が付いた駕籠は上客用だ。普通は左右側に〈一枚簾《いちまいすだれ》〉が下がっているか、全く無いかである。

駕籠の中へ思わず「日差しか……」と錯覚する程の明りがこぼれ込む皓皓《こうこう》たる月明りの夜であった。

もはや提灯など用をなさぬくらい、細目に押し開けた簀垂れ窓の向こうに森や田畑が幸にはよく見えた。

が、どの辺りまで来たのかは、さすがに判らない。

すると、宗次の声がした。

「どうでえ繁造どん。狐茶屋《きつねちゃや》でひと休みして、冷てえ水で喉を潤《うるお》さねえかい」

「そう言やあ喉が渇きましたかねい」

「軽く饂飩《うどん》でも喉を滑らせるかえ」

「いや、先生。腹にモノが入りやすと、気力が萎《しぼ》みまさあ。いけやせん」

「そうか。そうだな、うん」

まあ随分《ずいぶん》と来たんだこと、と幸のなんとも言えぬ美しい表情が、月明りこぼれ込む駕籠の中でホッと緩《ゆる》んだ。

幸は簀垂れ窓を閉じた。

品川宿の色町で明るいうちから遊んだ男どもは、満足し終えると何本かの帰路を選んで江戸諸方への帰りを急ぐ。

その帰路のうちの一本と「養安院様の道」とが斜めに交差している手前角に、

誰ともなく狐茶屋と呼んでいる小さな茶屋があった。

老夫婦と出戻り娘の三人でやっている茶屋であったが、べつに三人が狐顔だという訳ではない。茶屋の後背に鬱蒼《うっそう》たる森の広がりがあって、かなりの数の狐が棲《す》んでいるらしいことから、いつしか狐茶屋となったという。

しかし、この茶屋。誰彼を引き付ける妙な人気があって、夜遅くまでやっている。

老夫婦と出戻り娘の愛想《あいそ》がよくて客扱いが天下一品だというのだ。

店の名物は、小さな枯れ葉みたいな薄揚《うすあ》げ一枚にたっぷりな青葱《あおねぎ》が入った、狐饂飩《きつねうどん》。

このところ蕎麦《そば》を抑《おさ》え込むようにして江戸市中で勢いを伸ばし始めている「きつね饂飩」は、この狐茶屋が起こりであるとか、ないとか。

幸は駕籠が止まって、そろりと下ろされるのを体に感じた。乗っている者に細心の注意を払った、小憎らしいほど上手な下ろし様《よう》だった。

「おやまあ宗次先生、このような刻限に……」

と、狐茶屋の老婆と判る声が幸の耳に届いて、その見なれた老婆の笑顔が脳裏《のうり》に浮かんだ。

狐茶屋の家族三人は幸もよく見知っている。

「お嬢様、開けてよございますか」

繁造のダミ声が左側の簀垂れ窓の外であって、幸は「ええ」と応じた。

繁造の大きな手で簾が駕籠の上に巻き上げられて、真昼かと思わせる月明りの中に幸が静かに姿を浮かび上がらせる。

幸を見慣れている筈《はず》の繁造であったのに、その余りの美しさに不覚にも生唾《なまつば》をのみ込んだ。

「これはこれは大庄屋のお嬢様……」

宗次と何やら話し合っていた狐茶屋の老婆ヒデが、まるで里帰りの我が娘を見つけたかのように、くしゃくしゃの笑顔で小駆けに幸の前にやってきた。

「お久し振りですこと、お婆ちゃん……」

幸が祖母でも出迎えるような仕草で、両の手をヒデの小さな肩に置く。

「ほんに三月《みつき》ぶりくらいでございましょうかねえ。今宵はまたこの年寄りのために満月から舞い下りて来て下さいましたかのようなお美しさで……嬉しいですよう」

ヒデは苦笑する繁造の前で、幸のふっくらとした胸元へ皺《しわ》だらけの顔をもたれかけていった。その様《さま》がなんとも自然で、無作法だとか厚かましいとかの印象は皆無だった。

「父右衛門がつい数日前に精市と一緒に此処を訪れたそうですね。今日、母から聞かされて知りました」

「そうなんですよう、お嬢様……」

と、ヒデの皺だらけの顔が幸の豊かな胸から離れた。

「これを茶店の役に立てなさい、と沢山《たくさん》の野菜を持って来て下さったのですよう。もう勿体《もったい》なくて勿体なくて涙が出ましたよう……」

「父も母もこの茶屋のお饂飩が大好きなようですものね」

「はい。それはもう、奥様とお二人でよく訪ねて来て下さいます。ささ、お嬢様、狭い店ですが奥の座敷へ……」

と、ヒデが幸の手を引いて足を一歩踏み出した時だった。

「ケキョ、ケキョ、ケキョ、ケキョ、ケキョ……」

とまたしても秋鶯ならぬ淀《よど》んだ囀りが不意に月下の夜空を走って、「な、なんじゃ、あれは……」とヒデがギョッとしたように夜空を仰いだ。

繁造たち駕籠舁きも、後ろの駕籠から出て佇《たたず》んでいた由香も同様に満月まぶしい夜空を仰いだ。

が、幸だけは店の入口で老爺――茶屋の主人《あるじ》百平《ひやくへい》――と向き合っている宗次の方へ視線を向けつつ、後ろにいる由香へ「由香ちゃん、こちらへいらっしゃい」と物静かに声をかけた。

同時に再び淀んだ囀り。今度ははっきりと「ゲギョッ」と聞こえる秋鶯とは似ても似つかぬ面妖《めんよう》な囀りが狐茶屋の直ぐ後ろの辺りで生じ、それはまるで怒り狂ったかのような凄まじい速さで連続した。

幸の背に駆け寄った由香が不安そうに、両手を幸の背に触れる。

「なんだか気色の悪い鳴き声じゃのう。あんなのはじめてですよう。ちょっくら店の裏を見て参りますよお嬢様……」

離れてゆこうとするヒデに、

「よしなさい、お婆ちゃん。狢《むじな》（タヌキ）同士の単なる縄張り争いですよ」

狐とは言わずに狢と言ったあたり、さすがな幸の気配りだった。

「そうですかねえ」

「ええ、そうに違いありませんよ。それよりも汗びっしょりの繁造さんたち四人に冷たいお水を差し上げて下さい」

「あ、これはすみませんよう、お嬢様。迂闊《うかつ》なことで。さあ、繁《しげ》さんも皆さんも勝手口の方へ回りなさいよ。小さ目に丸めた牡丹餅《ぼたもち》(おはぎ)もあるよ。小さいの一つや二つ腹に入っても駕籠昇きで鍛え抜いた脚がヘロヘロともつれることはありますめえ」

「ありがと婆ちゃん。小さいの一つや二つなら、ヘロヘロにはならねえやな」

ちょっと苦笑した繁造は幸に向かって軽く頭を下げてから、仲間たちを促《うなが》してヒデの後に従った。

幸と由香の二人だけになったところへ、宗次が落ち着いた足取りで近付いてきた。

「お前様……」

「うむ……」

宗次と幸の間で交わされた会話は、それだけであった。

六

翌朝宗次は、長屋の井戸端《いどばた》に女房《かみさん》たちが現われる時分より半刻《はんとき》ほども早くに貧乏長屋（鎌倉河岸八軒長屋《はっけんながや》）を出た。

頭の中には、大庄屋小野宮家の楓《かえで》の林の中で耳にした「ほほほほっ」という甲高《かんだか》い女の笑い声が、鮮やか過ぎるほどはっきりと残っている。その後に二度、三度と続いた面妖なる鳥の囀りに鋭いトゲを感じもしたが、刻《とき》が経つにしたがって宗次の頭の中は甲高い女の笑い声に支配され始めていた。

それには理由があった。

その甲高い女の笑い声の響きが、例のお大名家の御正室風の金切《かなき》り声、「……この町人を斬れ文之助。かまわぬ斬れ」の響きと、頭の中で次第に重なり出したのだ。

（似ていやがる……いや、同じ声の響きだあな）

と宗次は思いつつ、左手懐《ふところ》で濠端《ほりばた》に沿って歩き、掘割口に架かった竜閑橋《りゅうかんばし》を足早に渡った。

一体この朝の早くから何処へ行こうというのか。左手を懐に入れている割にはかなりの速足《はやあし》である。

(小野宮家のこれからに不吉な何事かが生じるってえ前触れじゃあなさそうだい。どうも、この俺《おれ》に絡み付いてこようとしやがる気配のように思えてならねえ……)

そう考えながら宗次は、あの千代丸とかいう若様を思い切り怒鳴りつけたことに原因があるのか、と首をひねった。

「そもそも、あのお大名家の連中ってえのは、この世の人間だったのかえ。それとも架空の世の化け物だったとでもいうのかえ……全く冗談じゃあねえやな」

呟《つぶや》いて立ち止まった宗次は、澄みわたった早朝の青い空を仰いで、珍しく溜息を吐いた。あほくせえ、といった感じの溜息だった。

(……が、放《ほ》おっておく訳にはいかねえ。大庄屋邸裏手の荒れた林から俺に向かってきやがった不快な気配と、お大名家らしい連中が放《はな》っていた気配とは同じ匂《にお》

いがしていたな。ありゃあ化け物じゃあねえ。人間様が放っている気配だ。邪悪な人間様がよ)

宗次は納得したかのようにひとり頷いて、また歩き出した。

宗次の顔に、柔らかな朝の陽《ひ》が当たり出している。

どれほどか歩いて、小汗かいた宗次は芝《しば》の増上寺《ぞうじょうじ》(明徳《めいとく》四年・一三九三、浄土《じょうど》宗第八祖聖聡《しょうそう》が開山。天正《てんしょう》十八年・一五九〇、徳川家菩提所となる)の山門をそう離れてはいない所に望むことが出来る高台の古い屋敷の門前に立っていた。高台とはいっても緩《ゆる》やかな石段を少しばかり上がった所だ。

敷地は三百坪くらいはあろうか。古い屋敷ではあったが決して荒れた屋敷ではなかった。しかし年月が過ぎるがままに任せたその屋敷の古さは、たとえば武士であるなら現役を思わせなかった。そう、隠棲屋敷《いんせいやしき》の古さを漂《ただよ》わせていた。

表札はむろん掛かっていない。表札が当たり前に認識されて普及するようになるには、更に時代を下がる必要がある。

宗次は門扉《もんぴ》を押した。ギギッと軋《きし》むことを知っているような、いや、閂《かんぬき》がされていない事を承知しているような、手加減した押し方だった。

門の軋みはかなりの音だったが、玄関式台かその脇の「中の口」に家人が姿を現わす様子はなかった。シンと静まり返っている。

門扉を閉じかけた宗次は「ん？」という顔つきになって体の動きを止め、ふた呼吸ほど置いて門の外に出た。目つきが鋭くなっている。

「気のせいか……」

然り気なく左右を見まわす振りのあと、宗次は邸内へ戻って門扉を閉じた。が、閂はしない。

この屋敷の主人《あるじ》が大の閂嫌いで、「訪れる者拒《こば》まず打ち払わず」を信条としていることを承知しているからだ。三、四年前までは夜通し開放されていた門扉であったが、凶悪な夜盗集団が暗躍し始めたり、あるいは主人《あるじ》の加齢などを考えた宗次が説き伏せるなどで、門扉は終日閉じられるようにはなった。が、閂を通す事だけは承知しない。

「宗次、参りました。失礼させて戴きます」

宗次は玄関式台を前にして奥へ告げてから、雪駄《せった》を脱ぎ式台左手の下足棚へ音立てぬよう静かに入れた。必ず履物は下足棚へ入れること、それもこの古い屋敷の習慣《ならわし》だった。

誰も出迎えに現われない薄暗い廊下を奥へ向かおうとした宗次は、思い出したかの如く玄関式台の端まで戻って目を閉じ不動の姿勢をとった。ミシリと関節を鳴らせて、十本の指が拳《こぶし》をつくってゆく。

どうやら聴覚を研《と》ぎ澄ませている様子だった。

やがて「ふうっ」と短く溜息吐《づ》いた宗次は、足を戻し薄暗い廊下を心得たかのように奥へ向かった。

足音は……まったく立てない。まるで忍《しの》び者《もの》の歩き様《よう》だ。

薄暗い廊下を突き当たりで左へ曲がると、煮立てているらしい生薬《しょうやく》の匂《にお》いが漂い始めた。宗次にとっては嗅《か》ぎ馴れた匂いである。

日当たりの良いかなりの広さの中庭が廊下の左側にあらわれ、右側の閉じられている障子の向こうから「コンコン……」と軽い咳《せき》こみが漏れ聞こえた。

宗次は大きな四枚障子の中央に正座をした。中庭の実をつけた二本の柿の木が障子に影を落としている。

「先生、宗次でございます。突然に訪れ申し訳ございませぬ」

真顔《まがお》であった。べらんめえ調も消えている。

「どうぞお入り下さい」

返ってきたのは何と、澄んだ若い女性《にょしょう》の声だった。

宗次が「はい」と応じて障子を開ける。音を立てない。見事な程にである。

明るい黒光りした板の間——十畳大——の中央に、床の間へ頭を向けるかたちで寝床が敷かれている。

「畳座敷」ではなく「板の間座敷」というのも、この屋敷の頑《かたくな》な仕来たり、いや信条だった。

寝床の手前に宗次の方へ背中を向けてひとりの女性《にょしょう》が姿勢正しく座り、掛布団の小乱れを直している。

その女性《にょしょう》の脇で火鉢にのせた鉄瓶《てつびん》が白い湯気《ゆげ》を立てていた。

「先生のお加減はいかがですか」

「今朝はかなり気分がいいようで……」

女性《にょしょう》はそう言いつつ座布団の上で俯《うつむ》き加減に丁重《ていちょう》に体の向きを変えると、宗次に向かって三つ指をつき深深と頭を下げた。

「ようこそ御出《おいで》なされませ。生薬二種を調合し追加いたしておりましたゆえ、お出迎えが叶《かな》いませんでした。ご容赦《ようしゃ》くださりませ」

「いつも申しておりますように、出迎えなど要《い》りませぬよ加世子《かよこ》殿。さ、お手を上げてくだされ。で、蘭方《らんぽう》の名医柴野《しばの》南州《なんしゅう》先生から勧《すす》められた生薬は効いておりましょうや」

「はい……」と女性《にょしょう》はようやく面《おもて》を上げて宗次を見た。

美しいというよりは、可愛さを目立って輝かせている娘であった。大人の女の愛くるしさだった。だが首すじ、胸元のやわらかそうな肌の白さに香り立つような艶《つや》めきを覗かせてはいる。

年の頃は、「夢座敷」の幸と同じくらいか。

「眠っている最中の咳こみが、随分と穏やかになりましてございます。さすが蘭方医学に通じなされた名医南州先生に厳選して戴いた生薬だと感じ入りました。南州先生をご紹介下されましたこと、この通りお礼申し上げます」

澄んだ声でなめらかに述べた加世子は再度、深く頭を下げてみせた。

それは明らかに、宗次が当たり前の浮世絵師ではないと承知しているような丁重さであった。

「宗次かな……」

このとき加世子の背中側で不意に弱弱しい声と「コホン」とした咳こみが一つ生じた。

「お目が覚めましたの、お父様」

と、加世子が座布団の上で体の向きを変える。

「申し訳ありませぬ先生。お休みのお邪魔をしてしまいましたでしょうか。お許し下され」

宗次は立ち上がって寝床の向こう側、加世子と向き合う位置へ移った。

寝床に仰向けとなって天井を見つめていたのは、白髪の老人だった。七十半ばを過ぎているように見える。

「ご気分はいかがでございますか先生」

「悪くはない、すまぬが起こしてくれぬか」

「え……」

「構わぬ。起こしてくれ」

「お宜しいのでしょうか。ご無理をなされましては」

「心配ない。本人が構わぬと言うておるのじゃ」

宗次は加世子を見た。

加世子は、「そろそろ煎《せん》じ薬《ぐすり》を飲まねばなりませぬから」と言い、こっくりと頷いてみせた。口元に、仕方がない、というような笑みがある。

「そうですか……」と、宗次は白髪の老人の体をそろりと起こしてやった。

「ふた月ぶりじゃな。よく訪ねて来てくれた」

「絵仕事が増えるばかりで、なかなか自分の自由が取れ難《にく》くなって参りました」

「いい事じゃや。男というものは、町人も百姓も侍も仕事を忘れてはならぬ。仕事を大事にしなさい」

「はい……」

「今日はまた鬱陶《うっとう》しい客を連れて来たのう。一体どうしたのじゃ」

「えっ……鬱陶しい客？」

「ほれ……お前の両の肩にのっておる」

「なんですって先生……」

宗次にしては珍しく慌《あわ》て気味に、左右の肩を手で撫《な》で払った。

「お前ごときにはまだ見えぬ。見えぬから害悪を及ぼされる事もない。安心してよい」

宗次ほどの人物を捉《とら》えて「お前ごとき……」と言い放つ病《やまい》の老人は一体何者であるのか。

「亡霊……でございましょうか」

「馬鹿を申すでない。この世に亡霊などおるものか」

老人はわざとらしく怖い目つきをつくり、加世子は顔を少し横に向けてクスリと笑った。

「ま、両の肩にのっている者のことはよい。それよりも拳を見せなさい」

「お願い致します」

宗次は両の手を拳にして手背《しゆはい》(掌の反面)を上にし、老人の前へ出した。神妙な顔つきだった。

老人の指先が宗次の先ず左手の指丘《しきゆう》を撫でていった。指丘とは拳をつくった時にできる山形の骨丘《こつきゆう》のことで、第三指(中指)の指丘が最も高く尖《とが》って富士山の形状をしており、第五指（小指）の指丘が一番低い（ボクサーは腰を回しざま捻《ひね》り込むようにして相手に激しく打ち込んだ時、この第五指丘を骨折する事がある）。

「左手のこの第三指丘は大事にするのだぞ。よいな」

「はい。お教えは忘れてはおりませぬ」

「うむ。左拳は受けの拳じゃ。攻めに用いるために鍛えてはならぬ。鍛えれば貴重な第三指丘は潰されてしまう。他の指丘も同様にな」

「心得ております」

「左拳を已《や》むを得ず攻めに用いる場合は、第三指丘を敵の最も軟所に叩き込むこと。先ず相手の鼻を下から上へと打撃し……」

「続いて右の耳の直下……」

「更には？」

「首の右側面……」

「宜しい。速さを忘れてはならぬぞ。ひと呼吸の内に三連打を炸裂させねばならぬ。修練を怠《おこた》ってはおらぬな」

「怠っておりませぬ。交誼《こうぎ》を欠かさぬ神社仏閣の林などをお借りするなど致しまして修練に励んでおります」

「そうか。ならば宜しい」

頷いた白髪の老人は、今度は宗次の右拳の指丘を撫でていった。

右拳は、親指を除く四指丘全てが潰れて、山形の形状を失っている。

つまり「攻めの拳」として鍛えに鍛えられていた。「当たり前にしか見えない皮膚の下」には、七、八枚重ねた瓦《かわら》をも粉微塵《こなみじん》とする硬状組織が隠されているのだ。それは大小刀を常には腰に帯びぬ宗次の、隠された凄《すご》みと言えた。

けれどもその拳を武器として用いるのは「ぎりぎりに追い詰められた場合に限り」と、恩師つまり目の前の白髪の老人から厳しく申し渡されている。

「うむ。右の拳はこれでよい。手指の皮膚は常に綺麗に清潔にしておくのだぞ。決して獅子を思わせるような荒荒しい印象の手指の肌であってはならぬ。よいな」

「はい。手指の肌の手入れは欠かしておりませぬ」

「全て凡庸《ぼんよう》、これが大事じゃ。凡庸を忘れてはならぬ。普通であること当たり前であること……この呼吸を失わぬように」

「さらに心がけまする」

　宗次が頷いてそう答えた次の瞬間、病でかなり弱っている筈であった老人の右拳がシュッと唸《うな》りを発して宗次の左米嚙《こめかみ》へ飛んだ。尋常の速さではない。

　ところが宗次はとくに驚く様子も見せず、上体をふわりとした感じで右へ傾けた。

　老人の右拳は宗次の耳をかすめ激しい勢いで空《くう》を切ったが、今度は左手が横水平のかたち（手刀《しゅとう》）で宗次の鼻の下へ打ち込まれた。目にもとまらぬ速さ、とはこの事を言うのだろうと思えるほど、ひと呼吸さえも置かぬ連続打ちだった。

が、宗次は老人の手刀を鼻の直前で、両手で挟み取った。ちょうど真剣白刃取りのように。

「うん」と、老人は初めて優しい表情をつくり、少し疲れたように宗次に挟まれた左手を引っ込めた。

「さ、お父様。お薬を……まだ熱いですから、お気を付けなされて」

「判っておる。いつも同じ事を言うでない」

　加世子が苦笑しながら手にしていた小さ目の湯呑みを老人の両手に持たせた。

湯呑みの中には焙《ほう》じ茶《ちゃ》色のものが満たされている。

老人はそれをすするようにして飲み出し、宗次と加世子は見守った。

「宗次よ……」

茶を飲み終えて老人は宗次を見つつ、湯呑みを逆の位置にいる加世子へ戻した。

手元は正しく娘の目の前に差し出されている。

「はい、何でございましょうか」

「真《まこと》に不思議なことじゃ」

「不思議……と申されますと」

「天の神は百年に一度、いや二百年に一度出るか出ないかのような怪童を……お前のような怪童をおつくりなされるのじゃなあ。真《まこと》に不思議じゃ」

聞いて加世子が横からひっそりと口を挟んだ。

「お父様。宗次様は童《わらべ》ではありませぬ。一人前の男であられます」

「なあに。七十二歳のこの爺《じい》から見れば、まだ童じゃ。怪童じゃ。剣の奥義《おうぎ》にも高度な素手《すで》の格闘業《わざ》にも、そして目を見張るような浮世絵の業《わざ》にも通じておる。

これを怪童と言わずして……」

そこまで言って老人はコンコンと軽く咳こんだ。

「さ、もう横になりましょう。ね、お父様」

「うむ。そうじゃな」

老人は加世子に両肩を支えられるようにして寝床へゆっくりと背中を沈めた。

「宗次、すまぬが庭の花が見たい。障子を開けてくれぬか」

「承知しました」

宗次は立ち上がって、二本の柿の木があった中庭とは反対側の障子を開放した。

色とりどりの花が咲き乱れていて、それが競い合って板の間座敷へ流れ込んでくるような光景だった。古びた土塀に向かって庭地が次第に高さを増す造りとなっているため、寝床に横たわっている老人にもよく眺められる。

とりわけ上品な渋い紅色と純白の花が目立って多く、百花繚乱の趣《おもむき》だった。

「綺麗ですねえ。秋の花の綺麗さは春の花よりも見事ですよ」

と言いながら、宗次は老人の枕元へ戻った。

「うんうん。加世子がこの年寄りのために、苦労して手入れしてくれておるのじゃ」

「私《わたくし》ひとりの力では、これほど美しくは咲かせませぬ。新橋堀《しんばしぼり》川端の『植善《うえぜん》』さんが、しばしば見えて下さるものですから助かっております」

加世子がそう言って目を細めた。

「植善」とはこの界隈《かいわい》では知らぬ者のない植木屋で、大勢の腕のよい職人を抱えている。

「お茶を淹《い》れて参りましょう。『植善』さんから昨日《きのう》届けられた柿大福がございます」

「お、柿大福とは久し振りな……」と、宗次の表情が緩んだ。

柿大福とは、早どりの甘柿を日本酒に漬け込んで甘さを濃くしたあと擂《す》り潰《つぶ》し、それをたっぷりの餡《あん》でくるんだ、新橋の菓子舗「春花堂《しゅんかどう》」の名物大福だった。良心的な値段も手伝って大名旗本家の間でも飛ぶように売れ、そのためなかなか庶民の手には入らず「幻の名大福」との評判を呼んでいる。

加世子が部屋から出てゆくのを待つようにして、宗次は口を開いた。

「……で、先生。私の両肩にのっているとか申されまする、そのう……亡霊ではなく……」

「念霊《ねんりよう》じゃ。亡霊などは、この世になどおらぬと申したであろう」

「念霊？……でございますか」

「そうじゃ。現実の社会に未だ生命を得て激しい念を放っておる者の凄まじい情火《じようか》が、お前の両の肩に眦《まなじり》を吊り上げてのっておる。若いお前にはまだ見えぬ。四十、五十でもまだ見えぬ。七十二の儂《わし》でさえ、ようやく薄ぼんやりと見える程度じゃからのう」

「私を恨《うら》む者どもが両の肩にのっているという事でございましょうか」

「それは儂にも判らぬ。だが激烈な怒りと欲望を放っていることだけは、ようく見える。炎《ひ》を噴《ふ》き上げるような怒りと欲望じゃ」

「その念霊を放っている者の素姓は善人か、それとも邪悪な奴か見当はつきませぬか」

「それは難《むつか》しい。善なる者の念霊ほど猛烈な情火を放つ場合があり、邪悪な奴の念霊ほどその害悪は弱弱しい場合もあるからのう」

「先生に時として打ち明けて参りましたように、私《わたくし》はこれまでに数数の事件に見舞われ、やむなく襲い来る相手を幾人も打ち倒しております。それらに関わる何者かが私《わたくし》の肩へのり始めたという事でございましょうか」

「いや、それはあるまい」

「では、私の肩に取り憑《つ》いておりますのは……」

「心当たりがあるのであろう宗次。だからこそ此処へ儂《わし》を訪ねて参ったのではないのか」

「は、はあ……」

「遠慮は要《い》らぬ。ありのままに申してみよ。絵空事《えそらごと》のような内容でも構わぬ」

「はい……実は先生……」

宗次は養安院の花畑を訪ねてから、江戸市中へ戻る迄のことについて、ゆっくりとした丁寧な口調で打ち明け始めた。

目を閉じて聞き入る病《やまい》の老人……この老人こそ、大剣聖・梁伊対馬守隆房が亡きあと、宗次が身に付けた揚真流《ようしんりゅう》格闘術を更に研《みが》き上げたる人物であった。

孤高の生涯を押し通した対馬守隆房の、隠されたと称してよい程の、たった一人の〈岳友《がくゆう》〉である。

宗次にとって、偉大なる父対馬守隆房に次ぐ大恩人――この老師の名を、中国名**雲雷拳**《うんらいけん》、日本名は草想禅宗《そうそうぜんしゅう》名誉僧正《そうじょう》・**雲円**《うんえん》といった。

名誉の称号を戴いているすでに隠棲の身であり、日日《ひび》病と穏やかに向き合う身であった。

まぎれもなき日本人である。

この雲円名誉僧正の〝凄み〟は中国名、雲雷拳の奥深くに隠されていた。

雲円は若き頃、学僧として幾人かの僚僧と共に老師に従い船で中国へ向かった。

が、船は台風に遭遇して難破し老師僚僧ともに波に攫《さら》われて失った雲円は、二十三日間を大海に弄《もてあそ》ばれて奇跡的に中国へ漂着したのだった。

「わかった。今の話でようく見えてきた」

雲円は目を閉じたまま頷き、宗次は老師の次の言葉を待つかのように、膝頭《ひざがしら》を寝床へ少し近付けた。

「中国で学ぼうとした若い頃の儂が、凄まじい暴風雨に行く手を阻《はば》まれ行動を共にした老師僚僧を失って、半死半生の状態で中国へ漂着したことは、お前にもよく話して聞かせたことじゃが……」

「はい。そして先生の運命を決定づけたのが、半死半生で漂着した先生を救った中国の人人の中に、少林寺の位《くらい》高き僧侶がおられた、ということでございました」

「うむ。その僧侶、澤清空《たくせいくう》先生の勧《すす》めるままに儂は少林寺の門を潜《くぐ》った」

「その結果、長い修行を経て少林寺の四天王と言われるまでになられました雲円先生、いいえ、雲雷拳先生が此処にこうして存在していらっしゃいます」

「なあに。少林寺の四天王と言われたこの儂も、素手格闘の奥義を極めておられた対馬守隆房先生には、目黒村の庵《いおり》にあった質素な道場で幾度立ち合《お》うても引き分け以上には持ち込めなんだわ。真《まこと》に凄い武術者であられた。高い学識もお持ちであったしのう。儂の方が長生きするなど、天の神は手配《てくば》りを誤《あやま》りおった。対馬守隆房先生こそ、長生きをされるべき御方《おかた》であったのじゃ」

「先生にそう言って戴けますと、天上の父もきっと喜んでおりましょう」

「話が横道に逸《そ》れてしもうたが、そなたが今、打ち明けし面妖なる出来事と全くよく似た出来事を、儂は少林寺で修行中に二度体験致しておる」

「なんと……」

「誠じゃ。黄金の仏像などを狙って襲い来る兇暴なる鼠賊《そぞく》共を、常に腰に刃を帯びず打ち倒してきた拳法の聖堂少林寺は、一方で新しい仏教思想の研究と布教にも大変に熱心であって、それがため敵は単に鼠賊共だけでは済まなくてのう」

「仏教界をも敵に回したという事でございますか」

「ごく一部のな。過激な思想を大事とするごく一部の仏教集団が、新しい仏教思想を広めようとする少林寺をなんとしても叩き潰そうと画策しおってなあ」

「力で少林寺を屈伏させようとしたのでございますね」

「うむ。澤清空先生に救われた儂が少林寺の門を潜った当時、その激しい対決は最悪期にあった。少林寺の僧侶にも死傷者が出る状態でのう」

「そうでございましたか。そのお話ははじめて聞かされました」

「じゃが少林寺は不屈じゃった。僧侶たちは皆、学識高く優しい精神《こころ》に満ち、その一方で寺を護《まも》り続けるための拳業《こぶしわざ》の鍛錬を怠らなかった。決して刃を手にはしなかった」

「その拳業こそが、名にし負う少林寺拳法でございますね」

「そうじゃ。ところがその内、奇っ怪なことが心優しい僧侶たちを悩ませるようになった」

「力では少林寺を打ち倒せないと知った対決集団が、別の邪悪な手段つまり邪宗念である激しい念霊を放つようになった?」

「その通りなのじゃ。先程も申したように儂自身も二度体験しておる。その二度の体験が、今のお前が打ち明けたことにそっくりでな。ちょいと驚いたわい」

「それでは、この江戸の何処か、たとえば昨日私が行動致しました範囲の何処かに、その原因が潜んでいると仰《おお》せでありますか先生」

「お前は、もしや儂からその回答を引き出せるのではないかと期待して、いや確信して訪ねて参ったのであろう。聖堂少林寺で厳しい精神修養に長く打ち込んできた、この儂から……お前以上に江戸の諸事情にも通じておる、この儂からな」

「はい」

「はははっ。正直じゃな。では一つだけ、儂が知っていることを授《さず》けてやろう。儂が長病《ながわずらい》を知らずにまだ元気だった頃、さる藩の侍たちに聖堂少林寺の心の業《わざ》と拳業について教えてきた事は、宗次も知っていよう」

「存じております。ただ、藩名については伺《うかが》う機会を頂戴しておりませぬが」

「そうであったかな。讃岐国高松《さぬきのくにたかまつ》藩十二万石じゃよ」

「では松平《まつだいら》讃岐守頼重《よりしげ》様の……」

「うむ。水戸藩の現藩主（二代藩主）徳川光国《とくがわみつくに》様の兄上様であられる松平頼重様が藩主じゃ」

「讃岐守頼重様は藩祖（初代）ゆえ、何かと御苦労が多いことでございましょう」

「文武に大層ご熱心でな。寛文《かんぶん》四年（一六六四）に幕府から下賜《かし》された下屋敷（性格は別荘的）を藩士たちの心身鍛練の場にしたいと仰せられてのう……」

雲円がそこまで言ったとき、廊下に足音がして宗次もよく知っている賄《まかな》いの老女タキを従えた加世子が、板の間座敷に入ってきた。

加世子は急須《きゅうす》と湯呑みを、タキは幾つもの大き目な柿大福を盛った皿をそれぞれ盆にのせている。

「ようこそ御出なされませ宗次先生」

タキがにこにこしながら言って、柿大福をのせた盆を宗次の膝の前に置いた。

「タキさんはいつも元気だね」

「はい。雲円先生も加世子お嬢様も、行き場のない年寄り夫婦を大事にして下さいますから、こうしていつも元気なのでございます」

「幾つになったのかな」

「私は七十一、寛助《かんすけ》は七十五になりました」

「なるほど、それは元気だ」

タキには、不謹慎があって幕命で取り潰された旗本家に通《かよ》い賄《まかな》いをしていた料理上手な亭主寛助がいる。

「どうぞごゆっくり……」と、加世子とタキが座敷から出て行くのを待って、宗次は注意を恩師へ戻した。

「先生も茶か大福をいかがですか」

「儂はいらぬ。柿大福は宗次が遠慮のう食べるがよい。食べ切れなきゃあ八軒長屋の子らに持ち帰っておやり」

「ありがとうございます。で、先生、高松藩松平家の心身鍛練の場である下屋敷と申しますと、確か白金《しろかね》通り（現在の目黒通り）十丁目辺りに面しているあの鬱蒼《うっそう》たる樹木に覆《おお》われております高い板塀に囲まれた……」

「その屋敷だ」

徳川松平家とも言える白金の高松藩の下屋敷（港区白金台五丁目の国立自然教育園辺りが屋敷跡）は、敷地七万坪を超える広大さである。

雲円の話は続いた。

「少林寺で長く修行した私が中国船で長崎へ帰国。江戸に戻って目黒村に近い草想禅宗関東本山・海林寺《かいりんじ》に落ち着き読経《どきょう》に明け暮れたことは、宗次も承知している通りじゃが……」

「はい。存じております」

「少林寺の武術を封印して心穏やかな草想禅宗の僧侶になり切ろうとしていた私にある日のこと、高松松平家のお侍様たちの心身鍛錬を手伝《てつど》うて差しあげる仕事はどうじゃ、と勧めて下されたのが海林寺の今は亡き蒼山《そうざん》僧正なのじゃ」

「えっ、左様《さよう》でございましたか。それはまた……」

「ま、柿大福を食べ茶を飲みなさい。話はこれから核心に入っていくのでな」

「は、はあ……」

宗次は、茶をひと口飲んだ。旨《うま》い茶であった。

「高松松平家から届けられた茶だ」

「美味《おい》しゅうございます。さすがに……」

「高松藩と交流浅からぬ蒼山僧正はおそらく、少林寺の武術を封印している私の苦痛、心中の苦痛を見抜かれていたのであろうな。私は蒼山僧正の申し出を丁重《ちょう》《てい》にお受けし、その結果として此処にこうして現在《いま》の私があるのじゃ」

「はい」

「誠に有難いことに高松松平家は、病に臥すようになった私に、この屋敷を終《つい》の棲家《すみか》として与えて下された。現役では下屋敷の広い一室に寝起きしていたのじゃがな。長く奉じた心身の鍛練に恩義を感じてくれているからであろうか、今も藩士たちはよく訪ねて来てくれる。殿様からじゃと言うて、薬のほか充分な米も野菜も届く……出来た御人《おひと》じゃ。頼重様は……」

「藩士たちに与えた先生の影響が余程に素晴らしかったのでございますよ。大きな仕事を残されたのです」

「そう思うことに致しておこう。それが病の体と心を支えてくれるのであろうからのう」

随分と気弱になられたな、と宗次は思った。常に堂堂として風格を失うことのない武人であられたのに、と淋しくなりもした。

「でな、宗次よ。その高松藩下屋敷なんじゃが、鬱蒼たる大樹が密生するその広大な屋敷の何処かに〝無念《むねん》の館跡《やかたあと》〟と称するものがあるらしいのじゃ」

「なんですって。〝無念の館跡〟でございますか」

「なにしろ七万坪を超える広大な屋敷じゃから庭内の何処にその〝無念の館跡〟があるのかは、全く判っていないのじゃ。しかし、よく探せば確実にあると言われておる。そもそも、其処《そこ》が高松藩下屋敷として幕府から下賜されたのが寛文四年のことで、それまでの由緒《ゆいしょ》に関しては余りよく判っていないと言われておってな」

「それはまた……面妖な屋敷が下賜されたものでございますね」

「その通り、面妖なことじゃ。大名屋敷というのは屋敷地は幕府から付与されるものの建物は自前《じまえ》で建てねばならぬのが普通じゃ。しかし高松藩下屋敷には新しい部分といやに古い部分とがあってな、どこまでが自前屋敷であるのか私にも判らんのだ」

「では、その古い部分がもしや〝無念の館跡〟とかではありませぬか」

「うむ。確かに家臣たちは、その古い部分の建物へは余り出入りしないのだが……」

「いずれにしろ、その広大な下屋敷に、私が先程打ち明けましたような不可思議な現象が生じるのでございますね」

「そうらしいのじゃ。そうらしい、と申すのは私自身、まだ一度として見たことがないからじゃ。体験したのは藩士や屋敷女中たちばかりでのう。四、五日前に此処へ訪れた藩士三人も口を揃《そろ》えて言うておった。また出ました、とな」

「それは矢張り私が申し上げたような、明らかに大名家の連中、と断定できそうな身形《みなり》で？」

「どの藩士たちも一様にそのように申しておるのじゃが……」

「雲円先生、私を一度、高松藩下屋敷へ行かせて下さりませぬか」

「訪ねてみるか」

「はい、是非とも」

「じゃが〝無念の館跡〟の〈無念〉が何を意味しているのか、〈館跡〉が誰の館跡を指しているのか何一つ判っておらぬぞ。ただ、そう伝えられているだけじゃからな」

「心得ております。決して出過ぎた言動は取りませぬ」

「では加世子に一文口述させるゆえ、それを下屋敷預役百俵二人扶持《ぶち》・多加城伊《たかしろい》兵《へい》殿宛て持参するがよい」

言い終えると雲円は小さく三度咳こみ、そして布団の外へ両手を出し打ち鳴らした。

台所がある方角で、加世子の澄んだ声の返事があった。

雲円が天井を眺めながら付け足すようにして宗次に言った。やや早口であった。

「よいな宗次。この世に亡霊などは存在せぬ。もし亡霊と思《おぼ》しきものを双《ふた》つの目で捉えたならば、それは念霊じゃ。念霊は凄まじい荒修行によって邪宗念の極意に達せねば、容易に打ち放つことは叶《かな》わぬ。つまり、運悪く素奴《そやつ》らを相手とする場合はくれぐれも用心することじゃ。其奴らは想像を絶する強さじゃ。よいな」

「ご忠告ありがとうございます。しっかりと肝《きも》に銘じておきまする」

「うむ、よろしい」

雲円が満足気に頷いて両手を布団の中へしまったとき、「お呼びでございましたか、お父様」と、加世子が座敷に入ってきた。

七

閉ざされた門扉に向かって深深と頭を下げた宗次は、「くれぐれもお体お大切になさって下さい先生」と言い残して、古屋敷の前から離れた。

その足は東に向かって歩き出していた。懐には高松藩下屋敷預役である多加城伊兵宛ての雲円の親書が入っていたが、宗次はそれを使うことについてはまだ心に決めていない。

陽《ひ》は未だ午《うま》の刻限（正午）にも登り切っていなかった。雲円の親書はともかくとして、思い切ってこのまま高松藩下屋敷を訪ねてみるか、と宗次は考えた。

病床の恩師雲円が口にした〝無念の館跡〟にいたく関心があった。しかもその館跡が広大な邸内の何処にあるのかよく判っていないのだ、という。

まだ確認も出来ていないその幻《まぼろし》の館跡が宗次の脳裏で次第に御殿《ごてん》としての壮大な輪郭《りんかく》をあらわし始め、その輪郭と花畑に忽然《こつぜん》と出没した大名家御一行風《ふう》とが重なり合ったり離れたりを繰り返した。

「もう少し下準備をしてから訪ねた方がいいかえ？」

宗次の足が、自分に問いかけるような呟きを漏らして、ふっと止まった。

彼は懐《ふところ》に手をやった。雲円が口述し加世子が代筆した多加城伊兵宛ての書状は確かに懐に入っている。

宗次は、父対馬守隆房と雲円とがいつ頃から交流を深めつつあったのか、殆《ほとん》ど記憶していない。雲円によれば「中国から帰国して間もなく」と言うのであったが、その辺のことがよく判っていなかった。

雲円の存在をはじめて意識し出したのは、ぶらりと父を訪ねて来た雲円の求めに応じて、宗次が揚真流拳業《こぶしわざ》「天地の形《かた》」三十八手を連続して披露《ひろう》した時からである。

そのとき雲円が口にした「なんと恐るべき速さ、完璧すぎる空拳の美だ……」

という呟きと驚きの表情は、今もはっきりと覚えている。

宗次は増上寺の大屋根を左に見つつ高台を回り込むと中小寺院が立ち並ぶ寺町を抜けて愛宕下《あたごした》広小路に入り、北の方（江戸城の方角）へと足を戻した。

行く積もりがあるなら、宗次の足だと増上寺から高松藩下屋敷まではさほど遠くない。

江戸市中勝手知ったる宗次が最短の道を選べば、半里では納まらぬが一里とは要さぬ道程《みちのり》である筈だった。

「さあて……あの花畑を荒してくれた御一行様は……丁と出るか、それとも半と出るか。楽しみだあな」

そう漏らす宗次の表情に、べつだん険《けん》は無かった。

徳川家菩提所増上寺を中心に置いて、この界隈は中小寺院がさながら軒《のき》を触れ合わせるようにして密集状態にあった。その数は五、六十を超えている。

また、寺院が多いことで町人地の拡大にも日進月歩の勢いがついていた。

それらの町人地は愛宕神社（港区芝に現存。標高約二六メートル、京都愛宕神社の分祀《ぶんし》）の裏手（西側）の通り（現在の桜田《さくらだ》通り）に沿って急速な広がりを見せており、町人力のじりじりとした台頭の証《あかし》か、とも受け取れた。

宗次の足取りは、恩師雲円を訪ねた時とは打って変わって、ゆったりとしたものだった。

愛宕山の石段を上がって頂《いただき》の神社に詣《もう》で、見晴らしが利《き》く眺めに満足しつつ、また石段を下り、「小腹がちょいと空いたかな」と呟いて目の前の蕎麦《そば》屋に入ろうとして、「ん？」と足を止めた。

思いがけない機会というものは、やってくるものであった。それは宗次にとってまさしく願ったり叶ったりの、思いがけない機会だった。

向こうから道具箱らしいのを肩にした茶半纏《ちゃばんてん》に捩《ねじ》り鉢巻《はちまき》の中年の職人風が、やや俯《うつむ》き加減で小駆けにやってくる。その足取りの軽さ調子取りの良さが、腕のよい一人前の職人を思わせた。

宗次は立ち塞《ふさ》がるようにして声をかけた。

「久平《きゅうへい》さんじゃねえかい」

「おうっと……これはまた宗次先生じゃねえですかい」

背すじを反《そ》らし気味に足を止めた相手が、〝これはまた〟という言葉通りの驚きを見せた。

宗次の住居《すまい》、鎌倉河岸の貧乏長屋の筋向かいに住む屋根葺《やねふき》職人久平だった。長屋では人の善《よ》い働き者《もん》で知られている。

久平の女房で嗄《しわが》れ声のチヨには、掃除に洗濯、朝飯と宗次は大変世話になっており、姉か母親に対するように親しみそして敬《うやま》っている。むろん、時に謝礼の小粒を自然なかたちでチヨに手渡すことは忘れない。

「今日はまた、どしたい先生。この刻限このような場所でよ」

「病で臥せっている恩師の見舞《みめえ》にね」

「恩師って、絵の?」

「うん、まあ……久平さんは、これから仕事ですかい。何時《いっ》にも似《に》ず、ええ遅《おそ》出《で》じゃねえですかい」

「なあに、昨日《きのう》の昼八ツ頃(午後二時頃)に川崎《かわさき》の泊《と》まり仕事から帰って来たんでよ。今日は遅出でいいという事になってんでやす。仲間はもう先に現場へ行ってんだ、うん」

「現場ってえと?」

「白金通りの妙圓《みょうえん》さん前、高松藩下屋敷でしてねい」

　宗次は一瞬であったが目の奥をキラリと光らせた。

「高松藩てえと、確か松平讃岐守頼重様……だったんじゃあ」

「そうそう松平頼重様でさあ、で、その下屋敷ってえのは新しい屋敷の部分と古い屋敷の部分とがつながっていやしてね、その古い方の屋根の傷《いた》みが相当にひどいと下調べで判ってるんでさ」

「じゃあ久平さんの腕の良さの見せどころだ」

「いやあ、ははは。まあ、仲間たちは、俺が来てくれなきゃあ難しいところに手が付けられねえ、と言ってはくれていますがねい。じゃあ先生悪いが急ぎますんで、これでな……」

「ちょ、ちょっと待ってくんない久平さん。俺に久平さんの仕事振りを見せてくれめえかい。屋根葺職人の仕事ってえのは間近で見たことがねえんだ。是非とも絵仕事の参考にさせて戴きてえ」

「うーん、こいつあまた……」

「頼みやす久平さん、この通り」と、宗次は頭を下げた。

「ですが先生、仕事に関係ねえ者《もん》を俺の判断で勝手にお大名の屋敷へ入れるなんざあねえ。だいいち先生、御門番に制止されて俺がこっぴどく叱られまさあ」

「仕事見習いってえのはどうかねい。名職人久平さんのよ……」

「だけどよ先生、その着流し姿じゃあ職人見習いにゃあ見えねえよ」

「その道具箱の中には、茶半纏の替えは入ってねえんですかえ。いつも久平さんのことを気遣っている天下一の女房チヨさんのことだ。お大名屋敷へ仕事に出向くとなりゃあ、何やかやに備えて茶半纏の替えの一枚《いちめえ》くれえは入れてくれているんじゃあ……」

「かなわねえなあ先生にゃあ。チヨの考えている事となると俺よりも先生の方が詳しいんだから妬《や》けるよりも呆《あき》れまさあ」

久平は苦笑しながら肩にした三段の道具箱を足元に下ろすと、一段目の引っ掛け鍵《かぎ》を外して引出しを引いた。

宗次の睨んだ通りであった。洗濯したてと判る茶半纏、股引《ももひき》、丼《どんぶり》（職人用肌着の意）、手拭《てぬぐ》いなどがきちんと折りたたまれて入っている。

さすがチヨさんだ、と宗次は女房たる者の夫への想いを知って、胸を温かくした。

「この表通りじゃあ何だ先生。あの大松の向こうへ引っ込みやしょうかえ」

久平が肚《はら》を決めた顔つきをつくって、通りの脇で枝を広げている松の大樹を顎の先でしゃくってみせた。

「ありがとよ久平さん。嬉しいやな」

宗次は相好《そうごう》をくずした。

八

高松藩下屋敷の表御門が向こうに見え出したからであろうが、前を行く久平の小駆けが鈍ったので、宗次も少し足を緩《ゆる》めた。

「少し前までのこの界隈は田畑《でんぱた》が目立っていたもんですが、商家や長屋の建築に勢いがついているようでござんすね親方」

職人姿となった宗次は辺《あた》りを見回しながら久平を〝親方〟と呼んだ。べつにそうと呼ぶ事前の打ち合わせなどはなかったが、板に付いた自然な響きだったのか、久平が振り返りもせず即座に応じた。

「明暦《めいれき》三年（一六五七）正月の悪夢のような大火でよ。白金、目黒を残した他の地域は総嘗《そうな》めにされて殆《ほとん》ど潰滅《かいめつ》、と言いてえくらいの大被害だったじゃねえですかい。おっと、先生はまだ五、六歳でしたかねい」

「ええ、まあ……」

「当時の儂《あつし》はこの道に入って湯島《ゆしま》の親方の下で修業中の十七、八でしたかねい。大蛇の舌のように赤くうねる凄《すさ》まじい猛火の中を、それはもう悲鳴をあげて方角も判らず逃げ回ったもんでさあ。大勢が死にやしたよ」

その言葉の途中で久平は暗い表情になって立ち止まり、後ろの宗次が肩を並べるのを待った。

二人は小駆けをやめて普通に歩き出した。

「だから先生、明暦の大火から早《はえ》えもんですでに二十二、三年が経っているってえのによ。いまだ人も建物も炎《ひ》を浴びなかった白金や目黒方面へと移ってくるんでさ。とりわけ目黒界隈の人口増は著《いちじる》しく目立っておりやすよ」

「そのようだねい」

「人が住む建物ってえのが増えりゃあ、儂《あつし》の仕事は廃《すた》れやせん。それなりに儲《もう》かりまさあな、へへへっ……」

久平が暗い表情のまま笑った。

「うん。チヨさんやお花坊《はなぼう》（久平の長女）たち家族を仕合わせに出来るってもんだ」

「火事を喜んじゃあいけねえんだが、けんど、ま、有難《ありがて》えことでござんすよ。さ、先生。ちょいと急ぎやしょうかえ」

二人は高松藩下屋敷の表御門へ視線を向けて、歩みを速めた。六尺棒を手にした遠目にも年寄りと判る御門番がこちらを見ている。

御門番はその年寄り一人だけであったが、下屋敷に六尺棒を手にした御門番というのは当節珍しい方だった。親藩としての格《かく》とかを大事にしているのであろうか。

「高松藩下屋敷の表御門は、なかなか立派でござんすね親方」

「そうよな。御三家水戸藩の分家すじである親藩高松藩松平家の下屋敷は、明暦の大火の数年後《のち》に将軍様から土地を頂戴《ちょうだい》して建てたと言いやすから、ほれ、御覧のように表御門は家格を強調してかそれなりに立派なんでい。高松藩が水戸家の分家すじってえのは、先生のことだ、知っていやすよね」

「うん、知っておりやすよ。大火前のお大名家江戸屋敷の表御門などは、建築の贅《ぜい》を尽くし、まぶしいほど絢爛豪華《けんらんごうか》であったと言いやすねい。とくに尾張《おわり》、紀《き》州《しゅう》、水戸の御三家なんぞはねい」

「そりゃあもう凄いもんでござんしたねえ先生。大火の野郎がそれらをごっそり灰にしちまいやがった。屋根葺職人にとっちゃあ、たまらねえほど魅力的な表御門が多うございやしたよ。絵に描いたような凄い表御門がねえ」

「大火の後は何処のお大名家の表御門にも、親方がいま言いなすった華麗さなんぞは見られやしねえ。身構えは大きいが、〝感動の美〟ってえのが消えちまっていやす」

「その通り、その通り。うんと質素になりやしたねえ。つまらねえくらいに質素によう」

高松藩下屋敷の表御門が目の前となったので、宗次と久平は口を噤《つぐ》んだ。

門扉を背にしていた老御門番が無表情に石段を一段下りて、まるで身構えるかのように真っ直ぐに二人を見据《みす》えている。

その御門番の背後にある下屋敷表御門は徳川親藩大名十二万石にふさわしい立派さで、豪華絢爛には程遠いものの「初重《しょじゅう》（下層）」に瓦《かわら》屋根をのせ、「上の重（上層）」に唐破風《からはふ》・千鳥《ちどり》破風を見せる荘厳な低層二層門（楼門《ろうもん》）であった。中央の堂堂たる両開き門扉（唐門）を挟んだ左右には控門《ひかえもん》があり、この控門の位置が寺院にあっては金剛像の、神社にあっては随神《ずいしん》像の安置の場となって「金剛垣《こんごうがき》」と呼ばれるもので囲まれる。

しかしながら二層門は寺社建築では珍しくないが、大名屋敷それも下屋敷に於《お》いて幕府から建築を認められる（許される）のはおそらく例外にも等しい。

矢張り御三家（水戸）分家すじの親藩《しんぱん》大名、という点が配慮されたのであろうか。しかも高松藩下屋敷は、両控門に接するかたちで瓦屋根（櫓《やぐら》屋根）をのせた両翼構えの番所（御門番詰所）まで設けている。

「遅くなりやして失礼申し上げやした」

久平が御門番に向かって丁重《ていちょう》に頭を下げ、宗次は〝親方〟の背後で目立たぬよう然《さ》り気《げ》なく五体を縮《ちぢ》めた。

「おう、下調べのとき音頭《おんど》を取っていた確か……久平だったな。若い者《もん》五人はもう来とるぞ」

「へい。私《あっし》は昨日まで川崎で泊まり仕事がありやしたもので、ひと足遅くなってしまいやした。申し訳ございやせん」

「うん。若い者《もん》から、そうと聞いとるよ。さ、入れ」

「それじゃあ、ご免なさいまし」

「おっと。後ろの若い男《の》は誰だえ。大屋根の下調べのときゃあ、見なかった顔だが」

「この野郎は女房《かかあ》の遠縁《とおえん》に当たる者でやして、いま私《あっし》の手元に置いて厳しく仕込んでいるところでございやす」

「ふうーん。職人見習いだという訳か」

「左様《さよう》で。なかなかいい筋《すじ》を持っておりやすものですから、今の調子で育ちやすと思いのほか早くに一人前になりそうで」

「そいつあ楽しみだな。判った。入れ」

「ありがとうございやす。おい宗平、きちんと御挨拶をして顔を覚えて戴《いただ》きねえ」

振り向いた〝親方〟に「宗平《そうへい》」呼ばわりされた宗次は、「へい」と姿勢低く二歩前に出て〝親方〟と肩を並べ、「宗平と申しやしてございます。未熟者ですが一生懸命に務めますんで宜《よろ》しく御願い申し上げやす」と、頭を下げた。

相手が満足したように表情をやわらげて頷《うなず》き、二人は御門番の手で開けられた二層門の控門を潜《くぐ》って邸内に入った。

二人の背後で控門が鈍い音を立てて閉まる。

御門番の姿は二層門の外側に消えてしまっていたが、それでも久平は振り返って見えなくなった相手に丁重に腰を折った。

宗次も当然のことながら、〝親方〟を見習った。

久平が宗次の耳元で早口で囁《ささや》く。

「職人ってえのはね先生、武家屋敷の御門番を決して軽く見ちゃあならねえ。臍《へそ》を曲げられると仕事がやり難《にく》くなるんでね。注意しなせえよ」

「へい、よく覚えておきやす親方」

「あ、いけねえ。宗次先生は儂達《あっしら》職人よりも大名旗本家へは頻繁《ひんぱん》に出入りしているんでしたねい。こいつあ釈迦《しゃか》に説法《せっぽう》だったたい」

囁いて首をすくめた久平は、「さ、行きやしょうかえ」と宗次を促《うなが》した。

戦国の世が去って太平の世が定まり徳川将軍家も四代様まで続くと、大名旗本家の表御門に二本差しが厳《いか》めしい顔つきで立ち番することはなくなり、専《もっぱ》ら小者の役割となった。

宗次は久平の後に従って歩きながら、（なるほど……）と小さく頷きながら辺《あた》りを見まわした。その辺りに警備の侍が潜《ひそ》んでいて怪しまれる、という心配などは皆無であった。塀の外から眺めても鬱蒼《うっそう》たる樹木に覆《おお》われていると判る邸宅であったが全くその通りで、二層門を入ると幅三間ほどの石畳が奥に向かって（北に向かって）やや右へ傾くかたちで伸びており、この石畳の左右は原生林と称してよい程の〝森〟の展《ひろ》がりだった。警備の侍が潜める状態などではなく、踏み込めばそれこそ狐や狢《むじな》に噛みつかれかねない雰囲気だ。

「……その高松藩下屋敷なんじゃやが、鬱蒼たる大樹が密生するその広大な屋敷の何処かに〝無念の館跡〟と称するものがあるらしいのじゃ」

恩師雲円の言葉が脳裏《のうり》に甦《よみがえ》って、宗次はちょっと歩みを緩めつつ、森の奥へ目を凝《こ》らした。

だが、数間先《すうけん》は、もう木漏れ日一つ落ちてこない暗さである。

（自然のままの森を残して下屋敷としたのだろうが、それにしてもこいつぁ夜ともなると嫌な奴が現われそうだい）

宗次は、数歩前を行く久平の背を見つめながら胸の内で呟《つぶや》いた。

なんと一町《いっちょう》ほども歩いて石畳はようやくに、表玄関の式台《しきだい》へと辿《たど》り着いた。

けれども一町ほどの距離をそうとは思わせぬ程に、厚い森は敷地の宏大さを宗次に充分知らしめた。久平が肩を並べた宗次に小声で言った。

「ここが下屋敷として建てられた御殿の表玄関でしてね先生。この丁度裏手、北側に無断での立ち入りが禁じられている古くからの屋敷がつながっているんでさ」

「その古屋敷の屋根を、此度《こたび》葺き替えるんでござんすね」

「そういう事。だから気を遣《つか》わなくちゃあなんねえ」

「それにしても立派な表御門でござんしたねえ親方」

「先生は今日初めて見たんですかえ。『夢座敷』の女将様の生家《さと》がある目黒の大庄屋へは幾度となく行ってらっしゃる筈《はず》だから、このお屋敷の前は何度も通ってらっしゃるでしょうに」

「いや、目黒村へはもっと近道を通っていやすよ。このお屋敷の前を通ったことも三度や四度はありやしたが町駕籠に乗る事が少なくねえもんで、今日のようにしげしげと眺めたことはねえんですよ」

「あ、なある……絵にしたいような綺麗《きれい》な御門でござんしょ」

「まったくその通りですねい親方」

「行きやしょうかい。御殿を回り込むようにして庭伝いに……こっちです」

久平が顎をしゃくって、先に立って歩き出した。

宗次は表御門の方を振り返ったが、緩く歪曲《わいきょく》している石畳に覆いかぶさった大樹の枝枝で、それはもう見えなくなっていた。

明暦の大火のあと、幕府は大名旗本家の表御門について「不注意により火を出したる屋敷《もの》、あるいは類焼により被害を受けたる屋敷《もの》、については新築する表御門には屋根を設けず冠木御門《かぶきごもん》構えを原則とする」と定めている。

質素にせよ、という事であった。

久平と宗次は御殿の白壁に沿うかたちで庭伝いに奥へ向かった。庭とは言っても、宗次が知っている大名旗本家の整えられた芸術的に美しい庭とかではなく、自然木、雑草、湿地、沼などが入り交じる荒荒しい印象の庭だった。人手不足でとても手がまわらない、といった感じだ。しかもさほど広くはない〝庭〟だから二抱《ふたかか》え以上はあろう大樹の密生する森がすぐそこ目の前に迫っている。

「なんだか迫力のあるお屋敷でござんすね親方。森が怖《こえ》えくらいだ」

宗次は前を行く久平の背に小声をかけた。

「どの木も立派に育っているんで伐採するのが惜しい、とお殿様が仰《おつしや》っているらしくってね」と、久平も小声で返した。

「そうでしょうねい。一本で猪牙舟《ちょきぶね》の二、三艘《そう》は造れそうな巨木が見なせえ親方、其処彼処《そこかしこ》にビッシリでござんすよ」

「ここのお殿様はよ先生……」

久平は宗次がそばに来るのを待って言葉の先を続けた。

「御三家水戸様の御嫡男《ちゃくなん》という将軍様に近い立場でいらっしゃることから、中国、四国の諸大名の監視役を幕府から直直《じきじき》に命じられているらしくってよ。つまりとんでもねえ力のある殿様なんでい」

「ほう……」

と関心無さ気に応じた宗次であったが、それについてはすでに絵仕事で出入りしていた大名旗本家から四方山話《よもやまばなし》のひと欠《か》けらとして聞かされ知っていた。高松藩松平家は中国・四国地方に監視の目を光らせる「目付大名である」と。

茶半纏《ちゃばんてん》を羽織《はお》った幾人かが、細長い沼の向こうに見え出した。水辺に繁茂《はんも》しているのは、その葉の特徴から燕子花《かきつばた》であろうか。

誰かが久平に気付いて手を上げ、久平が大きく頷き返した。

大屋根を囲むようにしてすでに足場が組まれ、四本の長梯子《ながばしご》も掛けられている。

茶半纏の彼らは皆、親方を持たない腕の良い一匹狼の屋根葺職人であった。一人一人が優れた個性に恵まれていて、しかし単独では仕事の注文を安定的に受けるのは不利なため、茶半纏職人としての組合をつくっていた。最年長の久平が一応三年を限って統括窓口の立場にはあったが皆上下の隔《へだ》てなく平等で、したがって儲けも平等割だった。

むろん個人で仕事を請《う》けるのも自由であり、当たり前だがそれは個人の儲けとなる。

「や、遅くなってすまねえ」

細長い〝燕子花の沼〟を回り込むようにして職人たちに迎えられた久平が、額《ひたい》の捩《ねじ》り鉢巻《はちまき》を取って皆に軽く頭を下げた。それが平等な仲間内での基本的な作法だった。お互いに認め合っているから結束も固い。

「昨日《きのう》まで泊まりだったんだろう兄い。もっとゆっくりでもよかったのに」

若いひとりが言い、別の若いのが「おうよ」と笑顔で相槌《あいづち》を打った。

「なあに、若さではまだ誰にも負けやしねえやな。とは言っても朝立ちは宜《よろ》しくなくなったがよ」

久平がチラリと下腹へ視線を落とすと、職人たちは大名屋敷を意識してだろう抑《おさ》え気味に笑い声を立てた。

久平が和《やわ》らいだ雰囲気へスウッと挿《さ》し込《こ》むようにして続けて言った。なかなか巧《たく》みな話の持って行き方であった。

「ところで皆《みんな》よ。横にいる丈《たけ》の長《なげ》え此奴《こいつ》は宗平と言って女房《かかあ》の遠縁なんでい。今は大工《でえく》なんだが屋根葺職人として伸びそうな大層な素質を持ってやがるもんで、今日一日勉強させてやってくんねえか。邪魔はさせねえからよ」

「えれえ男前じゃねえかい。高い所へ登るのは大丈夫《でえじょうぶ》なのかえ兄い」

三十過ぎの職人が心配そうに言った。

「なあに、上にゃあ登らせやしねえ、下から真剣に眺めて屋根葺職人の仕事の厳しさを少しでも頭に叩き込んでくれりゃあ、それでいいんだ」

「じゃあ異存はねえやな。なあ、みんな……」

「おうよ。異存などねえよ」と、誰かが応じた。

それで決まりであった。

職人たちが次次と梯子《はしご》を上がっていく。さすがに身軽だ。

久平が宗次と目を合わせ、呟き声で言った。

「先生よ。本当は何か魂胆《こんたん》があるんじゃねえのかえ。暫《しばら》くここにいたあとは構わねえから、見つからぬよう怪しまれぬよう適当に森の中でも散策していてくんない」

「いいのかえ。森に踏み込んでも……」

「この場に立って身じろぎもせずじっと上を見上げている方が不自然ってえもん

だ。散歩中お侍《さむれえ》に見つかったらその時はその時で、此奴《こいつ》あ腕のいい大工でもあるんで質の良い巨木に強い関心を持っておりやして、とか何とか儂《あっし》がうまく言い訳を考えまさあ」

「そうかえ。すまねえな」

「なあに、儂《あっし》も一度は先生のお役に立ちてえと思っていたんだい。が、危ねえ真似《まね》は止してくんないよ。危ねえ真似は……」

「わかった」

「兄い。大屋根の東隅《ひがしすみ》をちょいと検《み》てくんねえ。対処の仕方で意見が二つに分かれているんでよ」

すでに大屋根へ登り切った職人たちの内の一人が、上から下を覗きこむようにして久平の頭の上に声をかけてきた。

「よっしゃ。いま行く」

力強く応じた久平は宗次の肩を軽く叩くと離れていった。

宗次は「へえ……」と感心した。日頃、八軒長屋で見かけている久平とは、まるで別人の姿、動きであった。どこから眺めても茶半纏組合の頭《かしら》の貫禄《かんろく》である。

家ではまるっきり嗄《しわが》れ声の女房チヨの尻に敷かれているというのに。

宗次は先ず建物のそばから離れて〝燕子花の沼〟の東側深くの岸辺まで回り込み、沼越しに新しい御殿と古屋敷とを見比べた。

が、それははっきり見比べられる程には、鮮明な違いを浮き上がらせていなかった。

「ここから、ここまで」を高さの無い位置から眺めた外観で識別するのは難しそうだ。

新しい建物とは寛文四年に幕府から下賜《かし》された土地に下屋敷として藩が自前で建築した御殿を指し、古屋敷とはそれ以前から存在した建物を指している。

一体何者がその古屋敷とやらに住んでいたというのであろうか。

「……どこまでが高松藩の自前屋敷で、どこからが古屋敷なのか私にもはっきりとは判らんのだ……」

恩師雲円の言葉を、宗次は頭の中で反芻《はんすう》した。果たして、恩師雲円が言った〝無念の館跡〟とは、古屋敷そのものを指しているのであろうか。

それとも他に〝跡〟だけが在《あ》るというのか。

「来たばかりで、ちょいと悪いが姿を消させて貰《もら》うぜい、久平親方」

宗次は辺りを見まわしながら呟いた。

九

宗次は用心深く後退《あとずさ》るようにして足元の雑草を踏み折り、森の中へと入った。道なき道の森ではないかと思っていたが、意外にも幅一間《いっけん》ばかりの手入れ悪くない小道が直ぐに見つかった。どうやら細長い〝燕子花の沼〟に沿ったかたちだ。

「表御門が向こうだから……」

ともかく此方《こっち》へ行くか、と宗次は表御門とは逆の方角へと早足で歩き出した。

「こいつあ大変な森だ……」

宗次がそう呟かねばならぬほど、森がたちまち深さと暗さを増していく。しかも樹齢二、三百年は経ているのでは、と思われるような小楢《こなら》、椎《しい》、松などの大樹が其処彼処《そこかしこ》である。

道は右へ曲がり左へうねってと変化激しく、宗次はたちまち薄暗い中で方向感覚を失わねばならなかった。

しかし小道は途切れることなく続いている。

健脚宗次の足は、休むことなく奥へ向かった。

登り下りがかなりあって、とくに達磨《だるま》形のそれほど大きくはない池の畔《ほとり》からの勾配《こうばい》が相当にきつい。見事に枝を張った大松の際《きわ》まで赤土の小道を登りつめた宗次は、足元の土をかなり硬く感じながらも思わず「おお……」と物静かな感嘆の声を漏らした。

南側に向けて視界が扇状に開けており、日を浴びてキラキラと輝く細く長く伸びた〝燕子花の沼〟の右手——こちらから見て——がどっしりと縦長な堂堂たる屋敷で占められている。

大屋根の流れ(屋根の面の意)の上で忙しそうに動き回ったり、相談し合っているらしい職人たちの姿もよく見えた。玄関棟から始まって手前方向《こちら》へ一体的に伸びる巨大な入母屋《いりもや》造の大屋根だ。

半開きの本を伏せると出来る山形の屋根が「切妻造《きりつまづくり》」。また四つの〝流れ〟つまり四つの面からなる屋根を寄棟造《よせむね》（四注造《しちゅう》とも）と言い、後者の上に前者をのせた形が入母屋造であった。

「もしや、あの大屋根の色違いが……」と、宗次は目を細めたり薄く見開いたりしながら遠目の焦点を合わせつつ呟いた。

その長く伸びた巨大な入母屋造の屋根の〝全面〟を、宗次は遠目にも黒塗りの割板葺《わりいたぶき》だなと確信した。瓦葺ならば古くなって表艶《おもてづや》が失せても、日を浴びるとそれなりの光沢《こうたく》が遠目にも認められる。

その光沢が皆無だった。

そして更にその割板葺と思われる大屋根が丁度、中央付近を境として微《かす》かに色が変わっていた。玄関方向へ向かってはしっかりとした黒、手前《こちら》方向へ向かってはくすんだ黒に近い灰色だった。しかも軒に近い辺りは一様にまだら模様の茶色になっている。

「なるほど、手前側が古屋敷ということかえ」

宗次はひとり頷いてみせた。どれくらいの年月が経っているのか、腕の良い屋根葺職人久平ならば大凡《おおよそ》が見抜けるだろう、と宗次は思った。

忘れぬようあとで訊いてみなきゃあならねえ、と宗次は自分に言って聞かせた。

眼下の達磨形の池では沢山《たくさん》の赤蜻蛉《あかとんぼ》(アキアカネ)が飛び交っている。

その池を取り囲むようにして繁っているのは、やや黄ばみ始めた紅葉《もみじ》であった。長い年月を感じさせる程によく育っており、樹高は凡《およ》そ五丈《ごじょう》は超えていそうで見事に張った枝は池の周囲《まわり》を覆い隠さんばかりだ。

「秋が深まると池は朱色に染まり絵のような美しさだろうぜい。も一度訪れてみてえな」

呟いた途端、宗次は大きな衝撃に見舞われた。

背後、それも首すじに息がかかったかと思える程の近くで、「歓迎しようではないか」という声がしたのだ。

前方へ飛翔《ひしょう》すれば眼下の赤蜻蛉の池へ落下するしかない位置に立っていた宗次は、横っ飛びに飛びざま振り向いた。

「ふっふっふっ、何をそのように驚いておる」

沈んだ暗い笑みを見せて、顔色の青いひとりの男が立っていた。黒の着流しに黒の帯、そして黒羽織に黒鞘《くろさや》の大小刀《だいしょう》を帯びた侍である。雪駄《せった》に鼻緒《はなお》までが黒であった。黒一色というその何とも陰気な身形《みなり》が、沈んだ暗い笑みを尚のこと名状し難い薄気味悪いものにしている。

年の頃は三十一、二といったところであろうか。しかも立っている位置は、まぎれもなく宗次の肩に手を触れることのできる間近《まぢか》だった。

揚真流奥傳《おくでん》を極めた宗次ほどの人物が、背後に間近なその顔色悪い侍に全く気付かなかったのだ。

宗次の背中にザアッと音立てるかの如《ごと》く、冷たい汗が噴《ふ》き出した。

相手に殺意があれば、間違いなく一瞬の内に斬り倒されていた間近である。

「驚かさないで下せえまし、お侍様《さむれえさま》。ああ、本当にびっくりした。心臓が縮みやした」

「偽《いつわ》りを申しておろう。さほど驚いたような顔には見えぬぞ」

「嘘なもんですかい。背中から大粒の冷や汗が噴き出やした。一体何処《いってえどこ》から現われなさいやしたので、お侍様《さむれえさま》」

「お前ごときにそれについて答える積もりはない。それよりもお前の身のこなし、職人の身形《なり》をしているが只の町人ではないな」

「とんでもねえことでございやす。私《あっし》は正真正銘、屋根葺職人の見習いで宗平と申しやして、親方の言い付けでこの位置から、ほれ、あの大屋根の上の兄《あに》さんたちの動き方を学んでおりやしたので」

と宗次は彼方の大屋根を指差してみせたが、侍は見ようともしない。暗い目を、じっと宗次に注ぐばかりだった。

「それならばお前も大屋根に登ればよいではないか」

「まだ半端者《はんぱもの》でございますから、大屋根に登らせて貰えないのでございますよ。下《へ》手《た》に動き回りやすと、余計に足元の屋根を傷めてしまいかねないもんで」

「半端者だと言ったな」

「へい、申しやした。半端者で未熟者で半人前でござんす」

「半端者で未熟者で半人前だとな？」

「へい……」

宗次は相手の喩《たと》えようもなく湿った目線が自分の胸深くに分け入ってきそうな圧迫感を覚え、思わず二、三歩退がってしまった。

「お侍様《さむれえさま》。恐れ入りやすが、もう一度お訊《たず》ねさせて下さいまし。一体《いってえ》何処から
どのようにして現われ、私《あっし》の背後に立たれやしたので……お願いでごぜえやす。

何卒お聞かせ下さいやし」

「だから先程申したであろう。お前ごときに答える積もりはない、と」

「では何故、私《あっし》の背後に気配を全くあらわすこと無く不意に立たれやしたので。

何か私《あっし》に余程の御用がお有りなのではございやせんか」

「ある」

「え……では、それをお聞かせ下さいやして」

「よかろう」

頷くよりも先に侍が激しい勢いで地を蹴った。

だが、凄まじい速さであったにもかかわらず宗次の目は、紙風船がそよ風に飛
ばされたかのような、ふわりとした動きにしか見えなかった。

それは宗次ほどの剣の熟達者に絶対あってはならぬ油断としか言い様がなかっ
た。

ハッとした時には侍の白刃が宗次の目の前で一閃《いっせん》。

いや、一閃というよりは十文字に走っていた。それが宗次には見えないばかりか、避けようとする本能に頼るので精一杯だった。

しかも、あろうことか宗次は相手の迫力に殴りつけられたかの如く、もんどり打って倒されていた。

その体の上を侍がふわりと飛び越えてゆく。

（此奴《こやつ》、狼《おおかみ》か……）と思いつつも宗次は瞬時に体を起こして身構えた。

けれどもこの時、侍はすでに穏やかなゆっくりとした動きで刃を鞘に納めていた。

かちり、と微かな鍔鳴《つばな》り。

「ふん、お前の今の美しいと褒《ほ》めてやってもよい程の身捌《みさば》きが、只の見習い屋根葺職人だというのか」

侍はそう言うと内懐《うちぶところ》から懐紙《かいし》を取り出して、ゆっくりと宗次に歩み寄った。

殺気は皆無であった。口元には消えることのない湿った笑みがある。

そのゾッとするような暗い笑みが、白刃を稲妻《いなずま》のように走らせた瞬間にも消えていなかったことを宗次ははっきりと思い出した。

「拭《ふ》くがよい」

侍は宗次に懐紙を差し出した。

「拭く？」

「血じゃ……どれ、私が拭いてやろう」

「い、いいえ。結構でございやす」

宗次は侍から懐紙を受け取ったが、〝小さな取り乱し〟に見舞われていた。拭け、と言われてもどこを拭いてよいのか判らず、だいいち斬られた感じは体のどこにもない。凄いとしか言い様《よう》のない相手の奇襲に無様《ぶざま》に横転はしたが、しかし切っ先は辛《かろ》うじて躱《かわ》し切れたと思っている。辛うじて、に確信があった。

「ふっふっふっ、眉間《みけん》と顎《あご》の先と左耳の下じゃ」

侍はそう言い残すと、宗次に背を向けて歩き出した。

宗次は眉間、顎の先、左耳の下、へ素早く懐紙を当ててみた。

懐紙はなんと三本の糸状の血を吸い取った。薄皮をほんの撫でるようにして切っただけのこと、と言わんばかりに。

宗次は愕然《がくぜん》となった。これ迄の事件との遭遇で五体に受けた傷では、いずれも

（やられた……）という感じは走ったし、軽微《けいび》な傷ではあってもそれなりの痛みはあった。

それが今回は、辛うじて躱し切れたという確信があり痛みも覚えなかったにもかかわらず、三か所に切創を受けていたのだ。

「お待ち下せえまし、お侍様《さむれえさま》」

宗次は「ふうっ」と溜息を一つ吐いてから、大樹の陰に消えかけている侍の背に声をかけ、そして近付いていった。

侍が足を止め、振り向いて宗次を待った。すでに侍の顔からは暗く湿った笑みは消えていたが、双つの目がやや吊り上がり気味に鋭くなっている。

（矢張り、狼だ……）と、宗次は胸の内で呟いてから足を止め言葉を出した。

「せめて……せめてお名前だけでも聞かせて下さいやせんか。お願いでございやす」

「非情にも己れの体を傷つけた侍の名を知りたいと言うのか」

「へい。知りとうござんす。理由も事情も判ったもんじゃござんせんが、命を落としていたかも知れねえ私《あっし》を、ともかくも薄皮一枚切りで我慢なされ見逃して下さいやした。いわば命の恩人でございやす」

「ふっ、そういう見方をするのか、お前は」

「へい、させて戴きとうございやす」

「傷は他人目《ひとめ》に付く程ではない。安心致せ」

「薄皮一枚切りでなきゃあ今頃は血まみれで悶《もだ》えておりやした」

「手鏡もないのに、どうして薄皮一枚切りだと判る」

「懐紙が吸った糸状の血が、それを物語っておりやす」

「半刻もせぬ内に大出血となるやも知れぬぞ」

「それならそれなりの痛みってえのが、傷の奥底深くに潜んでいるもんでございやしょう。それを毛の先ほども感じやせん」

「その言い方、いよいよ只者《ただもの》ではないのう。御方様《おかたさま》はさすが見事に見抜いておられたわ」

　侍の言葉の半ばから後は聞き取り難い小声となったが、宗次は聞き逃さなかった。それでも「えっ？」という表情をつくって聞こえていなかった振りを装った。

「ま、よい。私の名は……」

侍はそこで頭上に厚く張った椎《しい》の枝を見上げ、ふた呼吸ばかり考える様子を見せてから名乗った。

「闇之介《やみのすけ》……」

「闇之介……様でございやすか」

「左様。闇は闇夜《やみよ》の闇、之《の》は之《これ》、介《すけ》は介錯《かいしゃく》の介《かい》……判るな」

「判りやすが、そのう、御姓名をもお教え下さいやせぬか」

「何者とも知れぬお前に、姓まで名乗る必要はなかろう。闇之介でよい」

「はあ……」

「確か宗平……とか申したな」

「へい。屋根葺の見習い職人、宗平でございやす」

「同じこの場所で二度目に会《お》うた時は命が無いと思え。よいな」

「この場所で？」

「そうじゃ、この場所じゃ」

「なぜ、この場所なんでございやしょうか」

「たわけ。己れの目で調べい」

侍——闇之介——はそう言い捨てると、くるりと宗次に背中を向けた。

「この場所」を侍に強調された宗次は、幾度も辺りを見回した。「たわけ……」とまで言われているのだ。

何か「たわけ……」を示す物でもあるのでは、と思ったのだがそれらしいものは見当たらない。

「はて……」と首をひねった宗次が、まだ手にしたままの血で汚れた懐紙を丼《どんぶり》の内側へ挿し入れ、何気なく侍が立ち去った方向へ視線を戻し「お……」となった。

四方への枝張り圧巻《あっかん》の椎の巨木の位置から西方向へ——と宗次には方角が判る由《よし》も無いが——伸びる小道は一町半ばかり先まで真っ直ぐな緩い下りとなっているのだが、侍の姿は消えていた。忽然《こつぜん》と。

侍から目を離したのは僅《わず》かの間であるというのに。

「なんてえ事だえ……奴は確かに幽霊《ゆうれい》なんぞには見えねえというのに」

そう呟いたあと、（足はあったぜ……）と宗次は腕組をして暫《しばら》くの間、その場に立ち尽くした。

木立の葉をサワサワと鳴らして、やわらかな秋風が吹き抜けてゆく。

「御方様はさすが見事に見抜いて……と闇之介は言いやがったい。御方様ってえのは、花畑で出会ったあの御正室らしい女性《によしよう》のことだと言うのかえ……」

宗次は、侍の言い様《よう》からはそうとしか取れない、と思った。

「それにしても闇之介……恐るべき凄腕《すごうで》」

真剣を手に向き合っても果たして勝てるかどうか、と宗次は改めて慄然《りつぜん》となった。

「それよりも何よりも……先ず〝たわけ〟の意味が知りてえやな。〝たわけ〟のよ」

宗次は腕組を解いて、来た道をゆったりと戻り出した。

この時であった。秋鶯《あきうぐいす》が「ホーホケキョ」と鳴き囀《さえず》った。二度そして三度、四度と。綺麗《きれい》に澄み切った囀りだった。

「ありゃあ真っ当な鶯だ……ああでなくちゃあな」

聞き惚れながらも宗次はゆったりと運ぶ歩みを休めなかった。

その足は次第に運命の場所とも言うべき所へ近付きつつあったが、宗次にはそうと判る筈もない。

宗次は勾配のきつい小道を下り切って池の畔《ほとり》に立った。

十

先程よりも池の面を飛び交う赤蜻蛉の数がかなり増えていた。

水辺の菖蒲《しょうぶ》の細長い葉の先に止まって交尾をしていた二匹の内の一匹が、相方《あいかた》から離れて空に舞い上がったかと思うと、宗次の頭上をひと回りして狙いを定めたかのように降下し左の肩先へ止まった。全く怖がる様子を見せない。

「邪気を打ち払う力でも持ってきてくれたのかえ、お前……」

そう言いながら宗次は、赤蜻蛉の顔先へそっと人差し指の先を出した。

赤蜻蛉が顔とも目ともつかぬ丸い頭部を、小さく傾《かし》げる様子がどこかあどけない。

そして、その直後であった。何という事であろうか赤蜻蛉は宗次の肩から指先へヒョイと飛び移ったのである。

「そうか。邪気を打ち払う力を持ってきてくれたのかえ。ありがとよ」

宗次は人差し指を左肩先から目の高さへと静かに移したが、赤蜻蛉は平気な様子で逃げない。

香り強い葉を持つ菖蒲は古くより邪気を払ってくれる縁起良きもの、と信じられてきた。菖蒲の古名で「あやめ」というのがあるが、これは水辺ではなく山野に見られ矢張り邪気打ち払いの言い伝えが残っている。

「さ、もう行きなさい」

宗次が人差し指を軽く振ってみせると、赤蜻蛉は舞い上がった。

見るともなしに、宗次は離れてゆく赤蜻蛉の後を目で追った。

赤蜻蛉は水の畔から目と鼻の先の森の中へと入り、一度出てくると宗次の目前でくるりと反転し再び森の中へ入っていった。

まるで宗次を誘い込もうとでもしているかのように。

と、宗次の口から「あれは?……」と、短い言葉が漏れた。

赤蜻蛉が入っていった森の中――水辺から七、八間ほど――の薄暗いそこに、高札、いや立札と形容した方が当たっている小振りなものがあるのを宗次の目は捉《とら》えた。

それが衝撃の訪れを告げる運命的出会いであろうとは、知る由《よし》もない宗次である。

宗次は腰高ほどもある雑草をかき分けるようにして森の中へ入ってゆき、絵馬《えま》札様《ふだよう》の立札の前に佇《たたず》んだ。

長い年月雨風に晒《さら》されてきたとみえ、脚柱《きゃくちゅう》やその上にのった絵馬札様の部分はすっかり黒ずんでしまっている。

だが、書かれてある文字は、かなり薄れてはいるもののなんとか読み取れた。

宗次の目が一文字一文字の意味を見誤ることがないようにと、心静かに読み進んでいく。

そして文章の半ばまで読み進んだとき宗次の視線が驚きを見せて離れ、闇之介と出会ったあの高台——繁茂する樹木に遮《さえぎ》られ見えないが——の方へと流れた。

「驚いたぜ……」

宗次がぽつりと呟くと、羽を静止させて後方から滑空するかのようにスウッと飛んできた一匹の赤蜻蛉がまたしても宗次の左肩に止まった。

「お前はこれを教えようとしてくれたのかえ。ありがとよ」

宗次は少し肩を振って左肩の赤蜻蛉に告げると、視線を立札に戻し小声を漏らして読み進めた。

その立札に記されていたのは大凡《おおよそ》、次のような事柄である。

「我が藩校教授大月定安《おおつきじょうあん》先生の調査により、これより先の高台は今より凡《およ》そ二百年前白金周辺で数度に亘《わた》り繰り展《ひろ》げられた激しい戦いで騙《だま》し討ちに遭い無念の最期を遂げた勇猛の将高輪長者丸信時《たかなわちょうじゃまるのぶとき》とその一族の墳墓《ふんぼ》（土を高く盛った墓）らしいと判明。よってその御霊《みたま》の安穏祈願のため向後藩主の許可なくこれより先へ立入る事を厳しく禁ず。寛文六年（一六六六）二月、松平讃岐守頼重」

末尾の花押《かおう》（書き判・自署）だけは、黒い斑点を幾つか残すのみで、ほぼ消えてしまっている。

「なるほど……高輪長者丸信時とかいう勇猛の将とその一族の墳墓だったのかえ」

ひとり頷いた宗次は墳墓の方向へ両手を合わせて目を閉じ、頭《こうべ》を垂れた。

「知らなかったとは言え、その墳墓へ土足で踏み込んじまったい。許してやっておくんなせえ」

呟き祈る宗次の左耳をかすめて赤蜻蛉が役割を終えたかのように飛び立ち、池の方へと消えていく。

「はて……寛文六年二月頃と言えば確か……」

思い出したように顔を上げた宗次は、遠い目つきとなった。

「うん……千姫《せんひめ》様が六十八、九の御年齢《おとし》であったか、亡くなられたはず……」

その通りであった。寛文六年二月、二代将軍徳川秀忠《ひでただ》（寛永九年〈一六三二〉一月故人）の娘千姫が六十九歳で病没し浄土宗伝通院《でんずういん》（文京区小石川《こいしかわ》三丁目に現存）に葬られている。

その約一か月後の三月二十六日、酒井雅楽守忠清《さかいうたのかみただきよ》（上野厩橋《こうずけうまやばし》藩主十三万石）がなんと四十二歳という若さで「大老」という幕府官僚の最高権力の地位に抜擢された事についても、宗次は学び知っていた。

そしてその三日後の三月二十九日、忠臣阿部豊後守忠秋《あべぶんごのかみただあき》が老中職を解かれて涙した事についても。

つまり寛文六年は、色色な意味に於いて幕閣にひと揺れがあった年なのだ。

「それにしても、雑草に埋まってしまうこのような場所に立札とはな……」

宗次は、ちゃんとした小道が通っている池の畔の目立つ位置になぜ立てなかったのか、と怪訝《けげん》な目で周囲を見まわした。

だが、直ぐに納得したように宗次は掌《てのひら》で自分の腰を軽く打った。

自分がいま立っている位置から墳墓の方角に向け、雑草が頭を揃えた一様の高さでかなりの勾配をつけていたのだ。〝雑草が整った一様の高さ〟だということは職人によって手入れをされていた可能性がある。

それもこの夏あたりに。

宗次は腰を下げると、自分の足元を右手の指先で掻《か》き掘《ほ》ってみた。思いのほか硬い。

が、拳全体を鍛えている宗次には、苦にならなかった。

果たして足元の土は一寸ほどの厚さもなく、その下からは敷き詰められた拳大の玉石があらわれた。屋敷内参道というかたちだ。かなりの硬さだと足の裏に感じた墳丘の土が雨に少しずつ溶け流されて、玉石の参道を覆ってしまったのであろう。

尚も宗次は手を真っ黒に汚して何か所かを掻き掘り、間違いなく玉石を敷き詰めた墳墓への旧《ふる》い参道である、と確信した。

大名屋敷までが幕府によって厳しく監理されている現在《いま》と違って、群雄割拠《ぐんゆうかっきょ》の二百年前ともなれば、実力武将の広大な屋敷に墳墓や参道や稲荷神社などがあっても何ら不思議ではない。

（あの高台が高輪長者丸信時の墳墓であると大月定安先生に解き明かされる迄は春とか秋、藩士や出入りの大商人たちは玉石の参道伝いに墳墓の上にあがって桜や紅葉を肴《さかな》に、どんちゃん騒ぎをしていたのではなかろうか）

宗次はおそらく当たっていよう、と想像し、まこと高輪長者丸信時とその一族が哀れである、と思った。

宗次は、大月定安とは一面識もなかったが、高名な国学者であり歴史学者であって、高松藩校の教授とはいっても神楽坂の「夢座敷」近くに居を構えている事を承知している。つまり江戸の学者なのだ。したがって講義などは高松藩の江戸屋敷で現在《いま》も行なわれているのであろう。

「確か相当のご高齢と耳にしたことがあるが……一度お目にかかりてえもんだ」

宗次はひとり漏らしながら池の畔の小道へ戻った。

十一

職人たちが黙黙と忙しそうに屋根へ登ったり地面に降りたりを繰り返している現場へ戻った宗次は、軒端《のきば》にしゃがんで腕組をし何だか思案顔の久平を見つけた。

(へえ、あんなに高え大屋根の軒端にしゃがんで目眩《めまい》ひとつ覚えねえってのは、やはり久平さん大《てえ》したもんだい)

と、宗次は感心した。はじめて見る真剣そのものの久平の表情だった。

さすが鍛《きた》え抜かれた経験豊かな職人、どう葺《ふ》き直《なお》すか用いる技術《わざ》の選択に悩み抜いているな、と久平の心中を読む宗次であった。けれども闇之介の眼光鋭い――狼のような――顔が脳裏に現われたり消えたりを繰り返していた。ともすれば闇之介と久平とが重なって見えたりする。

（まさか職人たちに闇之介が乗り移るようなことはあるめえが……）

胸の内で声なく呟いた宗次は、ようやく下へ視線を落とした久平に「何か手伝うことは？……」と自分から声をかけた。

久平がにこりともせず、思案顔のまま素早く梯子を下りてきた。身軽だ。

「先生よ……」と、久平が然り気なく周囲を気にしながら宗次の耳に顔を近付ける。

その様子が普通でないと宗次には直ぐに判ったから、口元に浮かべた笑みを消さずに平静を装った。

「親方も微笑みなせえ。表情を硬くしちゃあいけねえ」

「判ったよ先生。実はよ……」と、久平は目を細めて笑いながら先程まで自分がいた軒端を指差し、だが小声で言った。

「一緒に上がってくれねえかね先生。高い所は苦手ですかえ」

「いや、それほどでも。絵師ってえのは崖っぷちや、高い木の上でだって絵筆を持つことがありやすからねい」

「じゃあ頼みまさあ。ちょっと一緒に登ってくんねえ」

「一体どうしなすったい」

「なんだかよ。薄気味が悪いんだい」

「薄気味が？」

「新しい屋敷と古い屋敷がつながる境目辺り、とくに軒端へ近付きやすとね、全身が冷え込むほどに冷てえもんが足元からスウッと這い上がってきやがるんで……」

「傷んだ屋根の切れ目なんぞから噴き上がってくる座敷風とかいう奴でねえんですかえ」

「いや、そんなもんじゃあねえ。とにかくよ先生、一緒に登っておくれな」

「判りやした。じゃあ親方が先に上がって待っていておくんない。二人してあたふた一緒に上がっていったら他の職人たちが何事かと思いやしょうから」

「違《ちげ》えねえ。じゃあ上で待っていまさあ」

久平は宗次から離れると梯子を登り出した。

ややこしい事になってきやがったい、と宗次は舌を打ち鳴らした。久平親方の言っている事は決してふざけ半分でないと、その様子、顔色から察せられた宗次である。

（久平さんの言うこの古屋敷ってえのが、雲円先生が口になされた〝無念の館跡〟とかではあるめえか）

そう考え考え古屋敷の大屋根へ登り出した宗次だった。職人たちの目があるから身軽過ぎる動きを取る訳にはいかない。

宗次は足元用心深くそろりと、軒端でしゃがんでいる久平に近付いていった。

「大丈夫《でえじょうぶ》ですかえ先生、何だかへっぴり腰に見えやすが」

「大丈夫《でえじょうぶ》、大丈夫《でえじょうぶ》……なあに平気でさ」

お互いに小声であった。

宗次は久平の横へ、しゃがみ込んだ。笑顔は忘れない。職人の一人が向こう端からこちらを関心あり気に見つめている。

「親方、表情が少し硬《かと》うござんすぜい」

「おっと、すまねえ」と、久平が口元に笑みを浮かべた。

「見てくんない先生。このはっきりとした色違いの部分が新しい屋敷の屋根と古屋敷の屋根との繋《つな》ぎ目なんでさあ」

「古屋敷の屋根はひどく色褪《あ》せていやすね」

「で、どうです。何だか足元からゾッと寒くなってきやせんかえ」

「べつに……何も感じやせんが」

「えっ、本当ですかえ。儂《あっし》はもう真冬の水に足を浸《ひた》したように冷たくなってまさあ」

「それにしても間近で見る新しい屋根の方は、実に丈夫そうな出来に見えやすが……」

「判ってくれやしたか。嬉しいやな。新しい屋根の方は四年前《めえ》にね、儂達《あっしら》の手で葺き替えたんでござんすよ。びしっと綺麗に出来上がっていやしょう」

「そうでしたかえ。成《な》る程《ほど》さすがにしっかりと張れているのが、素人目《しろうとめ》にも判りやす」

「何故だか古屋敷の屋根だけは決して手を付けちゃあならねえ、と御家老様の厳しいお達しだったもんで放置したままになっておりやしたがねい。雨漏りやら臭いやらがひどくなり過ぎてとうとう葺き替えようかって事になったんでさあ」

言い終えた久平は色褪せた方の屋根板を、肩の力をのせるようにして両手で強く押してみせた。

「ご覧なせえ先生。この辺りとくにブヨブヨしているんでさあ」

「屋根に上がってみて、其処彼処《そこかしこ》ブヨついているのが足の裏の感じで直ぐに判りやした」

「うん。だが、この辺りが特にひどい。ま、押してみなせえよ先生」

宗次は久平に促されて両手で押してみた。下までかなり腐っているな、と理解は出来たが「うん」と頷くだけで口には出さなかった。

「それにしても、このゾッとする余りにもはっきりとした嫌な寒気。先生には本当に感じないのですかえ」

「感じやせんよ。本当に」

「じゃあ、ともかく葺《ふ》き板《いた》をめくってみやしょうかえ」

「親方。屋根の下の造りの中に何があるのかを確かめてえのなら、もう少し軒端から上へ離れやしょうかい」

「おう。そ、そうよな。それがいいや先生」

二人は勾配を少し上がっていったところで動きを止めた。

「屋根は簡単にめくれるものなんですかい親方」

「新しい方の屋根も古い方の屋根も割板葺なんだがね……あ、割板葺ってえのは先生なら知っていなさるよね」

「うん。厚い割板と薄い割板の二通りがあると、いつだったか耳にしたことがありやす」

「その通りでさ。儂達《あっしら》は四年前《めえ》新しい方の屋根は厚割板《あつわりいた》、それも特に厚いので張らして貰《もれ》えやしたが、こいつあ先生……」

と、久平は再度、古屋根を手で押してみせた。湿気《しつけ》を多量に含んでいるのか軋《きし》みさえしない。

「薄割板《うすわりいた》でござんすよ。だからと言って薄割板が悪い訳じゃござんせん。軽うござんすから建物にかかる負担が助かる。そのかわり傷みが早《はえ》えから葺き替え時を見誤まっちゃあなんねえ……」

そう言いながら久平は、屋根板を押していた両手を板と板との隙間《すきま》に掛けて布団でも捲《めく》り上げるように手前へ引いた。

全く音を発することもなく、まるで紙粘土《かみねんど》を折り曲げるかのように下の基礎諸《もろ》共幅《とも》一尺、長さ一尺半ほどの穴があいた。ひどい傷み様《よう》だ。

「うへえ……」

不意に顔をしかめた久平が屋根の勾配に逆《さか》らい尻を這わせるようにして退《さ》がる。

「どしたい親方」

「冷気だよう先生。堪《たま》らねえくらい冷《つめ》てえのが穴からよう」と久平が辺りを憚《はばか》るようにして囁く。

「どれ……」

宗次は久平と体の位置を入れ替えるようにして四角い穴に顔を近付けた。

だが宗次は久平が怯《おび》えるほどの冷気などは感じなかった。ただ、かなりの黴臭《かびくさ》さが嗅覚を刺激した。それだけだった。屋根の下の造りがどうなっているのか、久平が言う冷気の原因が何か存在しているのかなどは、暗くて全く窺《うかが》えない。

宗次は顔を上げると、御天道様《おてんとさま》の位置を確かめてから不安気な様子の久平に小声で告げた。

「覗き込む私《あっし》の顔で穴を塞《ふさ》いでしまうんで何も見えやせん。冷気も感じやせんが、ともかく親方……」

と、宗次はもう一度額に手をかざして目を細め御天道様を仰ぎ見た。久平もその様子の意味するところを察したらしく宗次を見習った。

「すまねえが親方。屋根の峰《みね》の反対側に穴を開けてくんない。一尺四方ほどで充分でさ。そうすりゃあ、お日様の光が屋根下へ射し込みやしょうから」

「よしきた」

「親方はその穴を覗き込まねえように。覗くと塞ぐことになりやすから」

「覗きたくもねえやな」

苦笑した久平が身軽に勾配を上がってゆき、たちまち峰の反対側へ見えなくなった。

久平の作業は早かった。いや、それだけ薄割板で葺かれた屋根の傷みが激しいという事なのであろう。

「先生……」

屋根の峰の上に顔を出した久平が宗次と目を合わせ、こっくりと頷いた。その頷きは大衝撃が宗次の目前に迫った瞬間でもあった。

宗次は久平に頷き返し、そして穴へ顔を近付けていった。

（こ、これは……）

信じられない驚くべき光景を、日差し射し込む大屋根の下――明らかに「屋根裏の隠れ部屋」と判る造りの――に宗次は見た。

まるで昨日《きのう》にでも着せられたかのような真っ白な死装束《しにしょうぞく》の遺骸――白骨の――が七体、屋根裏を見つめるようにして並んでいる。

うち五体はやや小柄であるところから、おそらく十代あたりであろうと察せられた。

六体は合掌しているが、一番大きな遺骸は合掌しておらず、そばには抜身《ぬきみ》の赤錆《さ》びた脇差《わきざし》が一本ころがっている。

どうやら主人《あるじ》が覚悟した家族六人を脇差を用いて先に往生させたあと、最後に自分の命を絶ったものと思われた。

宗次は顔を上げると、忙《せわ》し気に立ち働いている職人たちの方を見てその位置を頭に入れ、もう一度顔を穴へ持っていった。

どうやら大丈夫、と宗次は思った。悲劇の「屋根裏の隠れ部屋」は、職人たちの足元よりずっと手前――こちら側――で、しかも壁によって仕切られている。

宗次は捲った薄割板で穴を塞ぎ、静かに立ち上がった。

荒荒しい鬨《とき》の声、入り乱れる軍馬の蹄《ひづめ》の音、銃声と悲鳴、それらが宗次の耳に聞こえてくるようであった。

この白金・高縄《たかなわ》（現在の港区高輪）界隈で宗次が学び知っている合戦と言えば、大《だい》永《えい》四年（一五二四）に勃《ぼっ》発《ぱつ》した北条氏綱《ほうじょううじつな》と上杉朝興《うえすぎともおき》の江戸城（当時の）争奪戦くらいである。現在《いま》から遡《さかのぼ》ること百五十五年前の激戦だ。

（その争奪戦が立札に記されている、凡そ二百年前とかの合戦を指すのであろうか。そしてこの下の……）

と思いつつ宗次は自分の足元へ視線を落とした。

（いかにも無念そうな七体の遺骸が、立札で言うところの勇猛の将高輪長者丸信時とその一族なのであろうか）

だとすれば足元のこの古屋敷こそ〝無念の館跡〟なのではないか、と宗次は考えた。

久平がそばにやってきた。身じろぎもせず立ち尽くす宗次に「もしや……」とでも感じたのか目に怯えを見せている。

「どうだったえ先生……屋根の下に何ぞありやしたかい」

「久平さん」

「へい」

「久平さんは正式な親方ではないにしろ一応職人たちを束《たば》ねる役割を背負《しょ》っているんだから対象が何であれ、見る時は見る、遣《や》る時は遣る、の職人根性を常に持ち合わせていなきゃならねえ。そうでござんすよね」

「先生の仰る通りで」

「心を静めて穴を覗いておくんなせえ。優しく合掌《がっしょう》の気持を抱いて……」

「合掌……」

と呟いた久平の表情がハッとなった。

「そいじゃあ先生、この大屋根の下にゃあ……」

「うん。ま、とにかく温かな気持で、覗いてみなせえ。それでもって葺き替え作業の日程や方法について、改めて藩の御偉方《おえらがた》と相談した方がよござんす」

「判りやした」

頷いた久平の表情がようやくのこと引き締まった。

十二

ちょうどその頃、神楽坂の「夢御殿」より東へ三《さん》、四町《よんちょう》と行かぬ所にある真《しん》明《めい》一刀流滝澤《たきざわ》道場「明神館《みょうじんかん》」で深刻な異変が生じようとしていた。

「明神館」は、諸藩の藩士や旗本家の子息など門弟二百人以上を擁する名流道場であり、道場主の滝澤蔵之助《くらのすけ》五十一歳は人格技倆《ぎりょう》ともに優れた一刀流の達人として広く知られた人物である。

この道場に長く住み込みで奉公している弥平《やへい》六十二歳はこの日、早目の中食《ちゅうじき》(昼餉《ひるげ》)を済ませた主人《あるじ》を「明神館」支援に一際《ひときわ》熱心な木挽町《こびきちょう》の大名家へ送り出し、薪割《まきわ》りや庭木の剪定《せんてい》、秋落葉《あきおちば》を掃《は》き集めるなど小《こ》まめに動き回っていた。

弥平はこの道場屋敷に漂《ただよ》う健全この上ない晴朗《せいろう》な雰囲気が大好きだった。離れには蔵之助の病弱な妻女余志江《よしえ》が床に臥せっていたので気を遣う事を忘れてはならなかったが、幸いこの一年元気を取り戻す方向にあって、それが尚のこと弥平の気分を明るくさせている。

蔵之助・余志江夫婦に子は無い。

道場屋敷の敷地は四脚門を持つ白塗りの土塀に囲まれた四百五十坪。さすがに名流道場だけあって、かなりの広さだ。

「ん？」

離れの前で箒《ほうき》を動かしていた弥平の手が止まって、視線が道場玄関の方へと流れた。

なにしろ敷地四百五十坪である。道場玄関に訪れた客の声を聞き逃すことが少なくない。尤《もっと》も、道場玄関に現われた客については、門弟の誰彼が丁重に応対することにはなっている。弥平の役割、と決まっている訳ではない。

「どなたか訪れたような……声がしたな」

弥平は楓《かえで》の大樹に箒を立てかけて、道場玄関の方へ歩き出そうとした。

そこへ玄関方向から風呂敷包みを背負った女が二人、「ただいま戻りましたあ」と弥平に声をかけながら足取り速く近付いてきた。ひとりは肥《ふと》り気味の十七、八、もうひとりは日焼けしたように浅黒い顔の大柄な四十半ばくらい。

「やあ、お玉《たま》さん、おサキちゃん御苦労さん。今日はまたえらく買い込んだねえ」

「何故だか今日は米も野菜も玉子も安かったんで、背負えるだけ買ってきただよ。干物も肉もいっぱいなあ」

色の浅黒い大柄な方——お玉さん——が、「よっこらしょ」と背負っていた風呂敷包みを地面《じべた》に下ろした。肥り気味のおサキの方はにこにこと黙って突っ立ったままだ。

「肉ってえと？」

「猪《いのしし》と兎《うさぎ》と鶏《にわとり》」

「そいつあ豪気だ。厳しい修練を欠かさぬ先生はきっとお喜びなさる。だが肉は傷《いた》まねえよう保存に気を付けなきゃあな」

「そんなこたあ弥平さんに心配されたくはねえ。山奥の田舎《いなか》で育った俺《おら》はちゃんと心得てるだよ。朝夕はめっきり冷《ひ》やっこくなってきたから大丈夫だ。弥平さんは風呂の湯が熱くなり過ぎないよう心配してりゃいいだ」

「こ、こいつあどうも……」と弥平は苦笑した。

風呂焚《ふろた》きは弥平の仕事であった。

お玉もおサキも台所仕事を任されている。むろん座敷の掃除や洗濯も女中奉公の二人の仕事である。

「ところでお玉さん、道場玄関の方へ誰か訪ねて来たようだったかえ」

「うんにゃ知らねえだ。俺たちは通用門から入ってきただから」

「そうかえ。判った」

弥平は頷くと、二人から離れ道場玄関の方へと歩き出した。

お玉がおサキを促《うなが》して直ぐ目の前の勝手口へと入ってゆく。

道場屋敷の表門は南を向いてあり、通用門は同じく南向きではあったが表門から右手方向へ十間《じっけん》ばかり離れている。

通用門を入ると晩秋には紅葉がそれは見事な楓の大樹が十数本もあって、その間を通り抜けて色とりどりの花が咲き乱れる明るい庭に出、浴室の角を左へ曲がると突き当たりが勝手口であった。

弥平は南向きの道場玄関までは回り込まなかった。道場内の様子を見るだけなら、玄関へ回り込むまでの途中、道場東側に設けられている櫺子窓《れんじまど》を覗《のぞ》けば事足《ことた》りる。

弥平はその櫺子窓の外に立って顔を近付けた。

弥平の表情が「ん？」となる。

ひとりの侍が弥平に背を向けるかたちで道場中央に立ち、それと向き合う位置つまり道場正面を背に置いて稽古衣《けいこぎ》の侍が険《けわ》しい顔つきだがきちんと正座をしていた。

その二人を見守るようにして道場の南北両側に居並ぶ門弟たちも、一様に厳しい顔つきではあったが正座を守っている。

道場正面を背に置いて正座をしている侍が、旗本の子息で筆頭師範代の立場にある内村練三郎《うちむられんざぶろう》三十一歳と知らぬ筈のない弥平であった。自分のような奉公人にも気安く声をかけてくれるし、時には「年寄りの喉は渇いて傷む事が多いからこれで潤《うるお》すことを忘れてはいかんぞ」と目黒不動前の名物黒飴《くろあめ》を買ってきてくれたりするから、「いやあ出来た御人《おひと》だ」と感心し敬《うやま》ってもいる。

「もう一度だけ言おう」

道場中央に仁王立《におうだ》ちの態《てい》で立つ侍が、ドンッと床を踏み鳴らした。

その大きな響きが胸にまで伝わってきて、弥平は思わず膝頭《ひざがしら》をぶるっと震わせた。

「滝澤蔵之助殿が留守であることは認めてやろう。ならば代わって『明神館』の筆頭師範代に就く貴殿が剣を取れい。それが剣士たる者の作法じゃ」

「出来ませぬ。幾度申されようとも、『明神館』では他流との試合は厳しく禁じられているとしかお答え出来ませぬ。貴方様の仰る作法とやらには付き合えませぬな。ましてや真剣でなど……」

「臆《おく》したか、臆したか、臆したかあっ」

侍は天井を睨みつけるように背すじを反らし、野太い大声を張り上げた。そしてズダンッダンッと床を破らんばかりに踏み鳴らす。

激情の迸《ほとばし》りであった。凄まじいばかりの激情家である。

内村練三郎の表情はさすがに青ざめてはいたが、泰然《たいぜん》たる正座の姿勢は崩さなかった。達人と言われている滝澤蔵之助と立ち合って、五本のうち二本は奪える内村練三郎である。その腕は並大抵《なみたいてい》のものではない。

「はい。臆しておりまする。それがしは弱虫でしてな。禁を犯してまで他流の剣士と立ち合う勇気は持ち合わせていませぬ」

「よかろう、よかろう。だが手ぶらで引き揚げる訳にはいかん。土産《みやげ》を貰うぞ」

激情侍は再び床を激しく踏み鳴らし、床板に亀裂が走ったのかビキッという音がした。

「土産？」

「そうよ、土産じゃ。構わぬな」

「はて、どのような……」

「これじゃっ」

その言葉が終るか終らぬ内に白刃が一閃《いっせん》し、道場の天井にまで血飛沫《しぶき》が舞い上がって天井板がビシャッと音立てた。

弥平はその信じられぬ余りな光景に櫺子窓の下へ白目をむいてしゃがみ込んでしまった。

「お、おのれ、何をするかっ」

と、門弟たち数名が脇に置いてあった木刀を手に、激情侍へ一斉《いっせい》に襲いかかる。

だがそれは、新たな悲運を増やしただけの意味しかなかった。挑みかかった門弟たちは悉《ことごと》く利《き》き腕の手首から先を切り飛ばされ、しかもその唸《うな》りを発する雷光の如き太刀筋によって誰もが道場に叩きつけられていた。

侍、とくに剣士であることを自覚する者にとって利き腕を切り飛ばされるという悲運は、死にも等しい絶望に他ならない。

見守る門弟たちは一瞬の内に決着《けっちゃく》がついた信じられぬ現実に、ただ茫然とするだけだった。

激情侍が殆《ほと》んど体の位置、姿勢を変えなかったから尚の事である。

悶絶しているのはいずれも、「明神館」で十指の内に数えられている手練《てだれ》中の手練であった。

幸いだったのは櫺子窓の下にしゃがみ込んだ老爺弥平が、その大惨劇を目撃しなかった事だ。

もし目撃していたなら、矢継ぎ早に重なった「明神館」の不幸に命を落としていたかも知れない。

弥平はこの二、三年心の臓のあたりに重苦しい痛みを覚えることがあって、湯《ゆ》島《しま》下に診療所を構える蘭方医術の名医柴野南州の投薬治療を受けている。

広広とした台所内にある井戸端ではお玉とおサキがしゃがみ込んで、野菜の仕訳と水洗いに、忙しかった。

滝澤蔵之助は夕餉《ゆうげ》の席に予告なく明神館十傑を書斎に招いて晩酌を交わすことがあり、そのための心積もりが欠かせない。

「おサキちゃん、今日の道場は何だかドンドンとうるさく聞こえやしねえかや」

「ちょっと見てきましょうか」

「うんにゃあ、いいだべよ。道場はお侍の修練の場所じゃけ、稽古中は不用意に近付いたらいかん。先生に叱られるだべな」

このとき、慌《あわ》てふためいていると判る足音が、台所に向かって廊下を駆け近付いてきた。

お玉とおサキは野菜を水洗いしていた手の動きを休めて立ち上がり、ちょっと不安そうに顔を見合わせた。

「お玉さん、お玉さん」

甲高《かんだか》い声を張り上げて、奉公人の食事所である板の間へ倒れ込むように入ってきたのは、まだ二十歳前《はたちまえ》にしか見えない若い門弟だった。

顔面蒼白、いや、唇もぶるぶると激しく震わせている。

「どうしただね広崎様《ひろさきさま》」

四百石取り旗本家の嫡男広崎新吾《しんご》十八歳だった。

「先生は……滝澤先生は今日はどちらへ行かれた」

「へえ。『明神館』をよく支援して下さる木挽町のお大名家へ、月に一度の御挨拶に出向かれましただが」

「そ、その大名家の名は？」と、おろおろ声で早口の広崎新吾だった。

「一体《いってえ》どうなさいやした」

「早く言え。大名家の名は？」と、眦《まなじり》がグイッと吊り上がり出す。目は充血して真っ赤だった。

「へえ。大和笹山《やまとささやま》藩十六万石の……」

譜代大名の名を告げかけたお玉の口を、広崎新吾は皆まで言わせず遮《さえぎ》った。

「判った。お玉もおサキも暫く道場へは来るなよ。絶対に来るなよ。弥平にもきつく伝えておいてくれ」

「広崎様、一体《いってえ》……」

この時にはもう、広崎新吾は真っ青な顔のまま身を翻《ひるがえ》していた。

「お玉さん、あの大人しい広崎様がどうしたんだよう。道場で何があったんだよう。なんだか怖いよう」

「おサキちゃん、俺《おら》たちは奉公人で女子《おなご》だんべ。じゃから道場の事は知り過ぎちゃなんねえ。知り過ぎちゃなんねえ」

「だどもお玉さん……」と、今にも泣き出しそうなおサキだった。

「お侍さんの事は、お侍さんに任しときゃあええんじゃ。立派なお武家が沢山《たくさん》いなさる『明神館』じゃけん心配なか」

そう言ったものの、お玉の表情はおサキ以上にこわばっていた。

道場の方から「急げっ」という金切《かなき》り声がはっきりと聞こえてきた。

十三

「ともかく宗次先生をややこしい事に巻き込む訳にはいきませんや。屋根裏の遺骸をどうするかについちゃあ儂《あつし》が藩の方《かた》と相談致しやすから、先生はこのまま藩邸を辞して下さいやし」

「あとはこの儂《わし》に任せておけ、と言うのですかい親方」

「へい。大丈夫でござんすよ。神社仏閣の屋根葺を少なからず手がけてきた儂《あつし》は、頼りなく見えやしょうが色色な呼吸をちゃんと心得ておりやすから」

「そうですかい。じゃあ贋《にせ》の屋根葺職人はここいらで消えるとしますかねい。御門番には、邪魔だからもう消えろと親方に言われた、とでも言っときゃあいいかい」

「それで充分に宜しゅうございやすよ」

「じゃあ親方、あの白骨を埋葬する場合《ばえい》は、目黒村に間近な草想禅宗関東本山・海林寺にでも相談してみなせい。ここからは近《ちけ》えし、きっと良い智恵を授けてくれやしょう」

「ああ、あの三門が立派な大寺院ですねい。判りやした。藩の方にも、そう勧めてみやす」

宗次が久平と慌ただしく言葉を交わして高松藩下屋敷を辞してから、何事もなく三日が過ぎていた。

この三日の間、宗次は八軒長屋へは戻らず、神楽坂の「夢座敷」の離れに身を寄せている。

次から次と断わり切れぬ絵仕事の依頼が舞い込む八軒長屋よりも、「夢座敷」の女将幸の居室である書院風離れの方が、静かに考えを深める事が出来るからだった。

目黒村で自分が味わった「幻覚」か「現実」か判らぬ異様な出来事。

高松藩下屋敷の森に埋もれるようにしてあった勇猛の将高輪長者丸信時とその一族の墳墓。そしてその墳墓の上に忽然と現われた恐るべき黒衣の剣客闇之介。

長者丸信時という名の印象が強烈ならば、闇之介という名の雰囲気も只事ではない。

更には宗次に大衝撃を与えた古屋敷の「屋根裏の隠れ部屋」から見つかった白骨の遺骸七体。

「間もなく目の醒《さ》めるような紅葉《こうよう》が訪れようというのに……まるで真夏の怪談歌舞伎のような出来事だあな……それにしても判らねえ」

広縁でひとり胡座《あぐら》を組む宗次は手酌《てじゃく》で盃《さかずき》に酒を注ぎ、ゆっくりと喉に滑らせて夜空を仰いだ。

真っ白に見える美しい満月があった。

刻限はそろそろ宵《よい》五ツ頃（午後八時頃）になろうか。旗本屋敷の門限とされている刻限であったが、あくまで原則としてである。

「だいぶ静かになったな……」

呟いて宗次は、渡り廊下の向こうにある二階建の母屋――店――へチラリと視線を流した。

それにしてもよく繁盛している、と感心する宗次である。

近頃では茶所駿府《すんぷ》（静岡県）や甲州《こうしゅう》の富商たちが、幸の美貌の噂を耳にしてわざわざ訪れ、幾日も「夢座敷」へ通い詰め満足して帰って行くという。

「夢座敷」は一階が誰もが気軽に入れて安価に楽しめる居酒屋風の、しかし上品な造り構えとなっていて、二階は大店の主人《あるじ》や大身《たいしん》のお武家が利用することの多い畳座敷だった。襖《ふすま》仕切りではなく、壁仕切りで床の間付きの座敷が何室も揃っており、商談にしろ密談にしろ安心して出来るようになっている。

この「夢座敷」二階への出入口は一階の店とは別に設けられており、賑《にぎ》やかな表通りから石畳の小道を少し入った所に目立たぬようにしてあって、これが「夢座敷」の表玄関だった。今や江戸で一、二の料理茶屋と言われるだけあって、それなりに立派な冠木門が訪れる客の「俺こそは……」「私こそは……」を満足させてくれるのだった。

「夢座敷」は夜五ツ半（午後九時頃）には全ての客を送り出す事となっている。ただ、祝い事があっての席だけは、夜四ツ半（午後十時頃）の御開きとなっている。

「余り遅くまで酒食でもって（女を）侍《はべ》らせる営みは許さず」という町奉行所の御触れ（通達）は宵待《よいま》ち草《ぐさ》（夜の業界）に対して回されていたが、殆ど有名無実だった。

「夢座敷」の例で申せばなにしろ、町奉行所や寺社奉行、盗賊改役などの上級役人までが女将幸の美しさを見たくて、常連客となっているのだから。

カラカラカラと格子戸の開く控え目な音がした。

盃を口元へ運んでいた宗次の手が止まる。

店と渡り廊下の境を仕切っている格子戸は、からくり造りが自慢の出入りの老棟梁《とうりょう》の手によってこの軽妙な音が鳴るように造られていた。

造られていた、とは言っても幸が頼んだ訳でも店の番頭や女中頭が頼んだ訳でもない。幸が孫娘のように可愛くって仕方がねえ、と事あるごとに漏らしている老棟梁が、渡り廊下の雨漏《あまも》りを直しに来たついでに、格子戸に勝手に手を加えてしまったのである。

誰が侵入してくるか判らねえ離れに独り寝なんざあ物騒でいけねえ、とばかりに。

幸も店の者も苦笑するしかなく、からくり格子戸はそのまま居着いてしまっている。

宗次は満月の青白い光を浴びて、長い渡り廊下をこちらへ近付いてくる幸に見とれた。

このところ幸の美しさが尚一層のこと際立っている、と思えてならない宗次である。

幸の姿が渡り廊下が折れ曲がったところで消えて、直ぐに現われた。

「今宵も忙しい様子であったな。疲れは溜まっておらぬか」

宗次の侍言葉であった。さすが、これが似合っていた。自然であった。やはり血筋というものなのであろう。

「はい。大丈夫でございます。此処でこうしているお前様のことを思いながら、忙しく致しておりましたから」と物静かに返しながら、幸が宗次の横にふわりと座る。

「そうか。疲れを覚えた時は体を休めなければな。無理はよくない」

「無理は致しませぬ。お酒はまだございますか」

「ある……」

「板場長の料理はいかがでございました」

「格別の味であった。さすがな腕よ」

ゆったりとした優しい口調で答える宗次だった。

「ようございました。お料理の味だけには、いつも人一倍気を遣いますから」

「そうよなぁ。そうであろう。女将としてはなあ」

「はい」

「夜空を見てみよ幸。今宵は満月がひときわ美しいではないか。幸にだけ似合いそうな満月ぞ」

「そのようなお言葉、はじめて仰って下さいました」

「そうであったかな。一度も言うてはおらなんだか」

「はい」

「幸は綺麗じゃや。あの美しい満月に住むことを許されるのは、幸だけであろうなあ。おそらく天の神は、他の誰にも許すまいぞ」

「まあ、お酒が少し過ぎたのではございませぬか」

「いいや、酔うてはおらぬ。酔うてはおらぬぞ」

「お前様」

「ん？」

「暫《しばら》くお肩を幸にお貸し下さりませ」

「いいとも。もたれるがよい」

幸はゆっくりと宗次の肩にもたれていった。仕合わせそうであった。そして満月の光を浴び、神神《こうごう》たる近付き難い美しさであった。

もし今、江戸の男共がこの離れの庭先に屯《たむろ》していたなら、誰も彼もが間違いなく卒倒していたことであろう。一片の誇張も無い、それほど「息をのむ」幸の美しさであった。

「ねえ、お前様。お訊《たず》ねして宜しいですか」

「何をだ……構わぬ言ってみなさい」

「この離れにお見えになった三日前から、何事か真剣に考え込んでいらっしゃいます」

「私の考え込む様子を見るのは、はじめてではなかろう」

「絵仕事について考え込んでいらっしゃる様子は、幾度となく気付いて参りましたけれど、此度《こたび》は少し違いまするような」

「どう違うと言うのだ」

「なんだかとてもご表情が暗うございます。もしや良からぬ事ではと心配でなりませぬ」

「なあに心配するな。次から次の絵仕事にいささか追い詰められておるだけだ。どのように日取りを調《ととの》えればよいのかと思案していたのだ」

宗次は、高松藩下屋敷での出来事については、幸にまだ打ち明けていなかった。もう少し「幻覚」か「現実」かを突き止めてから打ち明けようと思ってはいる。

「なあ幸よ……」

「はい。お前様」

「私は幸の全てに成り切ろうと心に決めている。だから私の言葉や動きを信じるがよい」

「御免なさい、あなた」

「うむ……」

「私《わたくし》もあなたの全てに成り切ろうと心に決めております。あなたを心からお慕《した》い致しております……大好き」

ひっそりとした気品漂《ただよ》う幸のひと言ひと言であった。

「そうか……ありがとう幸」

宗次は手にしていた盃を盆の上に戻し、幸の肩に手を回し強く抱きしめてやった。

今ごろ何の鳥なのであろうか。たった一羽が月下を南に向けて飛んでゆく……。

十四

「久し振りに、ゆっくりと過ごさせて貰ったな、幸」

「まだお宜《よろ》しいではございませぬか」

「いや、仕上げ切っておらぬ旗本家や商家筋の襖《ふすま》絵《え》を何件も残しておるのでな、そろそろ八軒長屋へ引き揚げねば……」

「夢座敷」での四日目の朝、宗次は女将幸に付き添われて離れ座敷から庭先へと下り立った。

「四、五日の内に私《わたくし》の方から長屋を訪ねても、差し支《つか》えありませぬでしょうか」

「それは一向に構わぬよ。筋向かいのチヨもお花坊も、幸の訪れをいつも喜んでいようからな」

「では、板場にお弁当でも作らせて、また長屋の皆様にお持ち致しましょうね」

「うむ。皆喜ぶだろう」

二人は離れへの出入口となっている——とくに宗次のための——目立たぬ地味な造りの通用門へとゆっくり足を運んだ。

幸の右手が宗次の左腕に、控え目に回されている。

「世話になったな」

宗次の足が通用門の手前で止まって、幸の右手が宗次の左腕から離れた。

「秋が深まると、この庭の紅葉《もみじ》も楓《かえで》も今年はまた見事に色付こう。楽しみだな」

庭の木木を見回しながら宗次の脳裏《のうり》には、高松藩下屋敷の〝達磨池〟を覆《おお》うようにして取り囲んでいた幾十本もの紅葉や楓が甦《よみがえ》っていた。

そして、あの異様な黒衣の剣客闇之介の姿も。

「あの……お前様」

「お帰り間際で申し訳ありませぬけれど一つ、御意見をお聞かせ下さいませ」

「ん？　いかがした」

「聞こう。話してみなさい」

「これまで『夢座敷』は料理茶屋として眺められ、大勢のお客様に大事にされて育って参りました」

「しかも実体は男女の胡散《うさん》な色恋場所などではなく、料理を味わい楽しんで貰う社交場としての精神《こころ》を大事に貫いてきた……そうだな」

「はい。したがいまして板場の者たちは常に、料理の味と盛付の美しさ、素材の創意工夫などに一生懸命打ち込んで参りました」

「その通りだ。たとえば『夢座敷』の弁当の味などは、それを食した八軒長屋の女房たちから、贅沢《ぜいたく》な内容ではないのに最高の味、と絶賛《ぜっさん》されておる」

「昨今の御時世では贅沢な素材は、お上《かみ》からお叱りを受ける場合もございますことから、質素な素材で最高の味を引き出せるよう、板場の皆が工夫して参りました」

「それに『夢座敷』には男女の胡散《うさん》な濡れ場に必要な、寝床の用意も無い。これは今や町奉行所も認めるところだ」

「はい。そこでお前様、『夢座敷』に時代の流れを見据《みす》えた新しい冠《かんむり》を付けたいと考えているのですけれど」

「なるほど。料理茶屋という、ぬらりとした印象から脱して、新しい時代に備えた店構えを一層充実させたいという訳か」

「左様《さよう》でございます。これは女将としての思い上がりでございましょうか」

「私はそうとは思わぬ。それこそが商《あきな》い学（経営学）というものであろう。敷かれた既存の敷居の上を惰性《だせい》で滑《すべ》り流されて行くのではなく、日夜の営《いとな》みの中に智恵と革新を求めようとする態度。立派ぞ、幸。さすがよのう」

「よかった……お前様がそのように言って下さいますと」

「で、新しい冠を何とする？」

「あのう……」

「ん？」

「その新しい冠をお前様に付けて戴《いただ》きとうございます」

「なんと、私に考えよと言うか」

「駄目でございましょうか。お願いでございます、お前様」

「そうよのう……」

宗次は通用門に背中を預けると腕組をして母屋《おもや》――店――の方へ視線を流した。

「それにしても立派な店構えに育ってきたのう幸。大《たい》したものぞ」

「お前様が陰《かげ》になり日向《ひなた》となって支えて下さった御陰《おかげ》でございます」

「新しい時代の品格ある料理屋としては、素材、味の他に幸は何が大事と考えているのか、聞かせてくれぬか」

「それは〝亭《てい》〟ではないかと考えておりまする」

「亭、つまり建物だと言いたいのだな」

「はい。それも絢爛豪華な立派な建物では決してございませぬ。質素で地味な拵《こしら》えの建物ではあっても、わび、さび、風雅を失わぬ建物こそが大切かと……」

「うむ。よくぞ申した。それならば、この一つしかあるまい」

「え……」

と、幸の瞳が期待に輝いた。

「料亭……これぞ『夢座敷』の新しい冠としてふさわしかろう」

「まあ……料亭」

それは料亭「夢座敷」の誕生の瞬間であった。神楽坂に、いや、大江戸に料亭が生まれた歴史的一瞬でもあった。

「気に入らぬか」

「とんでもないことでございます。感動いたしてございます。神楽坂の料亭『夢座敷』、なんと聞く者の胸を打つ英邁《えいまい》な響きでございましょう。お前様、ありがとうございます」

「料理茶屋の印象をよしとせぬ幸は、これまで店の看板を掲《かか》げてこなかったが、料亭『夢座敷』なら掲げてもよいのではないかな」

「はい。そう致します。文字はお前様が書いて下さいませ。店のお客様に高名な仏師がいらっしゃいますから、お前様の筆跡通りに、その仏師に彫って戴きます」

「その仏師というのは、浅草橋《あさくさばし》に住む大家、竹芝仁斎《たけしばじんさい》殿のことかな」

「あら、お前様、竹芝仁斎様をご存知なのでございますか」

「うむ、絵仕事で何かと交流はある。では木彫り看板は私から仁斎殿に頼んでおくとしよう。それでよいかな」

「嬉しいこと。大きさも形もお前様にお任せ致しますゆえ」

「判った……それでは四、五日したなら八軒長屋を訪れなさい」

「おチヨさんや花ちゃんにも、そのようにお伝え下さいましね」

「心得た」

宗次は幸の頬に軽く掌《てのひら》を触れてやってから通用門の外に出ると、内側で〝からくり錠〟が落とされたカタンという音を確かめて歩き出した。

通用門の外は幅一間《いっけん》ばかりの小路で、三、四十歩と行かぬ内に表通りに出る。今や〝宗次通り〟と囁《ささや》く神楽坂衆もいる程で、この界隈《かいわい》では宗次の顔も名も知らぬ者はいない。

この表通りは、夕暮れ時となってあちらこちらの軒下に赤提灯《あかちょうちん》が点《とも》り出すと、宵待ち草（夜の業界）で働く粋《いき》な姐《ねえ》さんたちの颯爽《さっそう》たる姿が目にとまり始めるのだった。

これぞ間《ま》もなく〝神楽坂芸者〟の名で呼ばれる事となる姐さんたちである。

「夜の歴史」は新しい時代に向かってゆっくりとだが、着実にその形を変えつつあった。

「あら、宗次先生……」

後ろから声をかけられて、宗次は足を止め振り返った。

「よう。玉奴《たまやっこ》姐さんじゃねえかい。神楽坂一の夜の蝶がこんなに朝早くに御天《おてん》道様《とさま》の下に姿を見せるなんざあ、珍しいじゃねえかよ。一体どしたい」

「風邪をひいたみたいで、頭痛がひどいの。今から湯島下の蘭方医、柴野南州先生に診《み》て貰おうかと思ってさ」

「そいつあ良くねえな」

宗次は、十四、五の小娘を従えて如何《いか》にもけだるそうに近付いて来る二十五、六くらいに見える姐さんを、優しい眼差《まなざ》しで待った。すらりとして黒羽織などが似合いそうな綺麗《きれい》な姐さんだ。

「どれ……」

お互いの顔がくっつきかねないほどの位置で立ち止まった玉奴の額《ひたい》に、宗次は掌を当ててみた。

「なるほど。微熱ってえとこかな」

「このところ、ろくに休んでないのさ。次から次とお座敷が掛かって」

「それだけ玉奴姐さんはこの土地で大変な人気があるってえ事だ。なにしろ、この神楽坂の〝夜の顔〟だもんな」

「ちょいと。宗次先生こそ、この時分に何なのさ」

「何がだよ」

「こんなに朝早くに神楽坂に姿を現わしたってえ事は、ははん解《わか》ったぞ、さては先生……ついに昨夜《ゆうべ》、『夢座敷』の麗《うるわ》しき天女と念願かなって激しく……」

「馬鹿。つまらねえ想像をしねえで早く柴野治療院へ急ぎねえ。待ってな。いま駕籠《かご》を呼んでやらあな」

「いらない。神楽坂の姐さんたちは風邪ぐらいで、そんな贅沢をするもんかい。駕籠はいらないよ。二本足で歩いてく」

「今夜も断わり切れねえお座敷が何本も掛かってるんだろうが。早い内に薬を飲んで一刻でも二刻でも体を横にしてりゃあ少しは楽になるってもんだい」

宗次は、そう言い残して玉奴姐さんから小駆けに離れた。

目と鼻の先の辻角に「駕籠楽《かごらく》」があって、閉じられた腰高障子《こしだかしょうじ》の前に七つ八つの空《から》の町駕籠が並んでいる。

「ふん、いつも優しいんだから、たまんないよあの先生には……『夢座敷』の天女が付いていなきゃあ一気に奪《と》っちまうんだけどさ」

言葉の半分から下はブツブツと呟《つぶや》き声の玉奴姐さんだった。

そばで付き従う小娘が、首をすくめて笑いがこぼれるのを堪《こら》えている。

そんな自信も気持も無いくせに、と言いたげな顔つきだ。

「お早《はよ》っす、三蔵《さんぞう》親方。宗次でござんす」

勢いよく腰高障子を開けた宗次の凛《りん》とした声は、むろん玉奴姐さんの耳へも届いた。

「よう先生。こんなに早く神楽坂とは珍しいじゃござんせんか」

そう言い言い、がっしりとした体つきの白髪の老爺が腰高障子の外へ出てきた。貫禄《かんろく》のある渋い面構《つらがま》えだ。「駕籠楽」の親方であり、町内の顔役としても幅を利《き》かせている三蔵であった。宗次の性格が大好きで、したがって二人で盃《さかずき》を交わすことも多い。

宗次が玉奴の方を指差し、三蔵の視線がその指差す先を追った。

「玉奴が連夜の人気の余り過労で、えれえ熱を出しちまったんだ。すまねえが湯島下の柴野南州治療院まで運んでやってくんない」

「そいつあいけねえな。けんど、南州先生はこんなに朝の早くから、やっていなさるかね」

「明け六ツ（午前六時頃）には表門の脇戸を必ず開けていなさる。大丈夫でい」

「よし判った」

頷《うなず》いた三蔵は土間へ戻って大声で四人の名を呼んだ。

宗次が玉奴のそばへ戻ると「んもう……大袈裟《おおげさ》なんだから」と切れ長な妖《あや》しい目つきで睨《にら》みつける姐さんだった。

「いいってことよ。お前《めえ》は『夢座敷』の商いにとっても大事《でえじ》な一流の宵待ち職人なんでえ。これからは十の仕事を六に減らしてでも、休みを取るようにしねえ、無茶働きはいけねえよ」

「宗次先生……」と、玉奴が鼻先をグスンといわせたところへ、町駕籠二挺が三蔵に従ってやってきた。

「玉奴、いけねえじゃねえか。お前《めえ》がひっくり返った日にゃあ、神楽坂の明りは消えちまあな。早く南州先生に診て貰いねえ」

三蔵は玉奴の手を取るようにして駕籠に座らせ、宗次は玉奴付きの小娘を「さあ……」と目で促《うなが》した。

「南州先生の治療が済むまで、すまねえが待っていてくんない。これは少ねえが……」

宗次がそう言いながら駕籠舁きたちに手渡そうと懐《ふところ》から銭入れを取り出すと、「よさねえかい先生」と三蔵の手がやんわりとそれを押さえた。

「玉奴くらいにもなりゃあ、この神楽坂にとっちゃあ娘も同然なんでい。面倒を見させて貰うのは、この三蔵の役目であって宗次先生じゃねえやな。さ、お前《めえ》たち、ぐずぐずしねえで、さっさと行きねえ」

「へいっ」

三蔵に発破《はっぱ》をかけられて、屈強の男たちに担《かつ》がれた二挺の町駕籠が勢いよく走り出す。

それを見送りながら、三蔵がしんみりとした口調で漏らした。

「先生には言っちゃあいなかったが、あの玉奴……病で十六の年齢《とし》で逝《い》っちまった一人娘のお葉《よう》にそっくりなんでさ」

「娘さんがいらしたことは聞いておりやしたが……そうでしたかえ」

宗次は銭入れを懐に戻しながら、頷いてみせた。

十五

三蔵と別れた宗次の足は、すでに行き先を決めていた。

幾らも行かぬ所に小屋敷を構えている国学者にして歴史学者の大月定安に面会を求める積もりでいる。一面識も無いことから門前払いを食らわされるかも知れなかったが、ともかく当たって砕けろだった。

大月邸の前の通りは「夢座敷」への往《い》き来でこれ迄に数え切れぬほど歩いてきた事から、大月邸に対しては悪い印象を抱いていない宗次であった。造りが華美《かび》を排した実に質素な小屋敷であったし、門前を竹箒で掃《は》き清める老爺や下女などは、通りを往き来する人たちと目が合うと見知らぬ相手であっても「おはようございます」「よいお天気で」などと腰低く笑顔で声をかけている。

宗次も幾度となく声をかけられた内の一人であった。

その宗次に、威勢よく駆けてきた若い職人風が、甲高い声をあげた。

「お早っす、宗次先生。昨夜《ゆうべ》は神楽坂で呑み潰《つぶ》れましたかえ」

「よう、鳶《とび》の市《い》っちゃん、今日は何処《どっち》でえ」

「松戸《まつど》でござんすよ」

「少し遠いねえ、気を付けて行ってきない」

「ありがとうござんす。五日後《のち》にゃあ戻りやす」

「一杯やろう。待ってるぜい」

「喜んで……」

声が次第に遠ざかっていく鳶職人の後ろ姿を、じっと見送る宗次だった。

宗次は鳶の市助《いちすけ》こと市っちゃんに、つい最近赤ん坊が出来たことを知っていた。

（足場を踏み外したりするんじゃねえぜ市っちゃん……）

思わずそう祈った宗次の何かが、遠ざかる市助の背にコツンとでも届いたのか、法被《はっぴ》が翻《ひるがえ》って振り向いた笑顔が手を振った。

宗次も軽く振り返してやり、市助は商家の角を折れて姿を消した。

このとき宗次は、通りから逸《そ》れた左手の方角――左視野の端――で誰かが手招いているらしいのに気付き、視線をゆっくりとそちらへ移した。

半町ばかり向こうを認めて、宗次の表情が「お……」となる。

手招いていたのは、宗次が見誤る筈《はず》のない長い付き合いのある相手だった。

江戸では強面《こわもて》で知られた目明し「春日町《かすがちょう》の平造《へいぞう》親分」である。水戸藩上屋敷そばの町人地である春日町に居を置く平造親分は、十手、捕り縄術に長《た》け、その功績抜群と認められて北町《きたまち》奉行から直直《じきじき》に紫の房付き十手を下賜《かし》されている。

宗次は（判りやした……）と頷いてみせながら、通りを左へ入って早足となった。

平造親分の立っている位置が、真明一刀流滝澤道場「明神館」の門前であると、むろん承知している宗次だった。この界隈のことなら宗次は鼠《ねずみ》の巣まで知り尽くしている、と言い切っても言い過ぎではない。

「お久し振りですが、どう致しやした親分こんな所で」

宗次は厳しい顔つきの平造の前まで来ると、朝早い職人たちの往き来が目立ち始めた事に注意を払いつつ小声で訊《たず》ねた。

「ちょいと付き合ってくんねえか、先生」

平造が「明神館」の閉ざされている表門へ、顎《あご》の先を振った。

宗次は「明神館」に立ち入った事は一度もなかったし、したがって道場主の滝澤蔵之助とも交流はなかった。だが剣客としての滝澤蔵之助が技倆《ぎりょう》人格ともに第一級という点については承知している。

「ここは『明神館』でござんすね。何かありやしたかい」

「ま、とにかく儂《わし》と一緒に入ってくんねえか。北町の同心の皆さん方《がた》が、すでに中に入っていなさる」

「それはまた……」と、宗次の表情が改まった。

「急ぎの足だったかい先生」

「いや、八軒長屋へ戻る途中でさ。ようがす、付き合いやしょう」

行こうとしていた大月定安邸は此処から間近かったため、宗次は平造親分の求めに応じて「明神館」の表門を潜《くぐ》った。

邸内は静かであった。北町奉行所の役人が集まるような大事《おおごと》が生じたような気配は窺《うかが》えない。

玄関式台の前には、同心たちが脱いだものであろう何足もの雪駄《せった》が乱れ並んでいる。それさえ無ければ穏《おだ》やかな朝の「明神館」道場だった。

「さ……」と平造親分に促され、雪駄を脱いで玄関式台の奥まで進んだ宗次の足が、そこでフッと止まる。緩やかな止まり様《よう》だった。

（血の臭い……）

と、宗次の目つきが険《けわ》しくなったのを、平造親分は気付かずに廊下を先へと進んだ。

「この廊下をこのまま真っ直ぐに行くと滝澤先生の居間とか書斎、つまり日常生活の間《ま》があってな、剣術道場はこっちだい」

後ろを振り返ることもなく、平造親分は廊下を左へ折れた。いや、折れたというよりは、入った、といった感じの身動きだった。

（道場だな……）と、宗次には判った。

宗次は平造親分より何歩か遅れてそこへ入った。

果たして剣術道場であった。さすがに名流道場と言われているだけあって広い。

（百坪を二、三十超えているってえとこか……）と、宗次は即座に読んだ。

その道場の中央辺《あた》りで何かを取り囲むようにして北町奉行所の同心たちが集まっている。

宗次は道場に一歩入った所に控えて、同心たちに近付いていく平造親分の背中を見守った。

深刻な異変を宗次はすでに捉《とら》えていた。同心たちが集まっているその辺りから濃い血の臭いが漂《ただよ》ってくる。

平造親分が痩《や》せて背の高い同心の耳元で何事かを囁いた。

その同心が振り向くや、手にする十手で己れの肩を軽く叩きながらこちらの方へのっそりとやって来たので、宗次は黙って丁重《ていちょう》に頭を下げた。

「いいところへ通り合わせてくれたもんだな、宗次先生よ」

「へい。なんだか平造親分には自分《てめえ》の動きを、しょっちゅう見張られているような気が致しやす」

「ま、そう皮肉を言ってくれるな。先生と北町（奉行所）の結び付きの深さは、神様が拵《こしら》えてくれたものと諦《あきら》めてくんねえ」

「承知致しやした。で、何事がありやしたので？」

「うむ、ま、いいから来てくれ」

そう言ってポンと宗次の肩を叩き、くるりと踵《きびす》を返したのは、北町奉行所市中取締方筆頭同心の地位にあって〝泥鰌《どじょう》のジゴロ〟の異名で町衆から煙《けむ》たがられている飯田次五郎《いいだじごろう》だった。

町衆から煙たがられているとは言っても、職務に熱心な余りの純真で真っ直ぐな性格、と宗次は理解しており、だから飯田筆頭同心が決して嫌いではなかった。

非番の夕暮れ時など町中《まちなか》で出会ったりすると、「どうでい、やらねえかい」と必ず盃を口元で傾ける真似《まね》をしてみせる。

平造親分と並んで飯田筆頭同心は、宗次のよき酒の友だった。

「おい、ちいと開けてくれ」

飯田次五郎の一声で同心たちの輪が口を開けた。

「なんでぇ、宗次先生ってのは思いがけない時に、思いがけない所へ現われなさるじゃねえか」

同心の誰かに言われて、

「へえ、なにしろ一日中、平造親分に見張られておりやすから」

と宗次は口元で苦笑し、そして平造も「何を言いやがる」というような苦笑《にがわら》いを拵えた。

が、この時の宗次の目は苦笑してはおらず、同心たちの間で横向きに倒れ白目をむいているひとりの若くはない侍を捉えていた。

血の海の中で武士が手にする大刀は鍔元《つばもと》から二、三寸のあたりで見事と言う他ないほど綺麗に断ち折られ、それから先は床板に深深と突き刺さっている。つまり、上から下へと振りおろされた凄まじい腕力により、侍の大刀はへし折られると同時に床板へ突き刺さったと思われた。

「この御方は？」

「当道場の主人《あるじ》で真明一刀流の達人、滝澤蔵之助先生だ」

「なんですって……」

と、宗次はさすがに驚いた。江戸及び関八州《かんはっしゅう》（相模《さがみ》・武蔵《むさし》・安房《あわ》・上総《かずさ》・下総《しもうさ》・常陸《ひたち》・上《こう》野《ずけ》・下野《しもつけ》）に於《お》いて十指に数えられている程の剣客滝澤蔵之助である。宗次が衝撃を受けるのも無理はなかった。

飯田次五郎が、ややくぐもった声で言った。

「理由《わけ》は知らねえし無理に知ろうとも思わねえが、これ迄の色色な事件との関わりから、宗次先生が何故だか刀にも詳しいし死体の検分にも詳しいってえことは、此処にいる同心たちは先刻承知なんだ。構わねえから先生よ、滝澤先生の遺骸や刀をよっく見てくんない」

「宜しいので？」

「構わねえ。ただ、先生への用は他にあるんだがねい」

「そうですかい。じゃあ、ちょいと仏様を検《み》せて戴きやしょうか」

宗次は血の海を踏まぬようにして、息絶えた真明一刀流の剣客に近付いてしゃがみ込んだ。

飯田次五郎をはじめ同心たちは息を殺した。実は同心たちは、死体を検分してある矛盾に突き当たっていたのだ。

その矛盾を、浮世絵師宗次が解きほぐしてくれるのではないか、と誰もが期待していた。それほど宗次は、北町奉行所がこれ迄に扱った事件に関わってきたし、事件解決にも貢献してきたのだ。尤《もっと》も自分から「進んで」あるいは「好んで」関わってきた筈もなく、たいていは巻き込まれたものだった。

「こいつあ、なんとまあ……」

宗次の口から呟きが漏れ、それを聞き逃さなかった飯田次五郎が「なんでい」と宗次の横に腰を下げた。

横向きに倒れている遺骸は検分のため、すでに同心たちの手によって着ているものを胸の下あたりまで下げられている。

「ご覧なせいよ」

と、宗次は懐から懐紙を取り出すと、先《ま》ず左胸の血糊《ちのり》を拭《ふ》き取った。

「まだ血糊が乾き切っていやせんから、滝澤先生が何者かと立ち合ってから、さほど経《た》っちゃあいやせんやね。それよりも、ほら……」

と、宗次の右手人差し指の先が致命傷となったに相違ない左胸の傷口に触れるほど近付いた。

「傷口を塞《ふさ》ぐようにして埋めている血糊が、受けた傷の形を実によく示していやしょう」

「なるほど。こいつあ宗次先生よ……」

「ほぼ六角形でござんすね。しかも、その差し渡し(直径)は凡《およ》そ半寸と少し。尤も差し渡しは円に対して用いる寸法でござんすから、ここでは六角形の……」

「うん、判る。六角形の最大内寸と思えばいいんだ」

「へい。次に背中を見てみやしょうかい。同じように血糊を拭き取ってみやすぜ」

宗次は再び懐から懐紙を取り出すと、心の臓の裏側あたりの血糊を拭き取った。

「これは小せえなあ先生……」

「小そうござんすね。太めの錐《きり》の先くらい、てえ感じでしょうかい」

「つまり滝澤先生は、先が鋭くて手元にいくほど太さを増していく六角形の細長い妙な物で心の臓を串刺しにされたってえ事になりやす」

見守る同心たちが、宗次の言葉で顔を見合わせるようにしてざわめいた。

「たとえば槍《やり》のような？」

「じゃあござんせんね飯田様。全く似ていないと思いやすよ」

「胸側傷口の差し渡しが凡そ半寸と少し、という事から想像すると長さは……」

「飯田様の差し料（刀・主に大刀）くらいと想像して差し支えないと思いやす」

「それにしても妙な武器だな。頭の中に具体的に浮かんでこねえや。困った……」

「いずれにしろ一刀流の達人である滝澤先生は、ご自身おそらく初めて見る武器で倒されたのだと思いやす。それも一瞬の内に」

「一刀流の達人が一瞬の内にだとう？」

「ご覧なせえまし。滝澤先生の死顔は、何合《なんごう》も打ち合い汗噴き出しての激闘の末に倒されたってえ死顔じゃござんせん。何の備えもなさっておられねえ穏《おだ》やかすぎる死顔と言いやすか……うまい形容がどうも見つかりやせんが」

「うーん、なるほど。そう言われてみれば」

飯田次五郎は困惑したように頷いて、十手の先で己れの下顎をトントンと突ついた。頭が混乱した時など、飯田次五郎はこれをよくやる。

若い同心のひとりが宗次の背中に声をかけ、宗次が「はい」と振り返った。

「けど宗次先生よ」

「滝澤先生の刀がへし折られているが、それはどう検《み》たらいいんだ。手元近くの差し渡しが半寸そこその細長い武器で、一見して剛刀と判る滝澤先生の差し料を叩き折るのは、ちょっと無理だと思うんだが」

「まったく仰います通りで。滝澤先生の心の臓を串刺しにした武器で、同心の皆さんが腰になさっている刀を叩き折るのは、明らかに無理でございやしょうねえ」

宗次はそう言いながら遺骸の手が摑んだままの刀を取りあげ「すいやせんが雨戸があったら明りを入れて下さいやし」と、飯田次五郎に小声で頼んだ。

「判った」と頷いた飯田が同心たちに命じるよりも先に、彼等のうち三人が素早く動いて道場東側の雨戸が全て開けられた。

道場内に朝の光が眩《まぶ》しく差し込んだ。

宗次はほんの少し移動すると、床に突き刺さっている刀の峰（刃の背側）を何回か押したり引いたりして引き抜き、差し込む朝の光の中に我が身を置いた。

周囲《まわり》に近寄ってきた同心たちが固唾《かたず》をのむなか、宗次は二つに折れた刀の、とくに折れた部分へ目を細めるようにして顔を近付けた。何か小さな異物でも見つけようとでもするかのような、真剣な表情であり目つきだった。

だが、それは長くは続かなかった。

「どうやらこれは……」

そこで言葉を休め少し考え込んだ宗次を、同心たちはなお間を詰めて取り囲んだ。

「鋼《はがね》など固い何かで打たれて叩き折られたんじゃあござんせんね」

「どういう事だえ」と、飯田次五郎が眉をひそめ、同心たちの表情にも驚きが広がった。

「固くて丈夫な鋼のようなもので叩き折られやしたら、折れた双方の部分に必ず打撃痕が残るものでござんすよ。それが無い。全く無い」

「じゃあ何で叩き折られたと考えられるんでい、先生よ」

飯田次五郎は不機嫌そうに、声を絞り気味に太めた。苛立《いらだ》っているようだった。

「判りやせんね。判りやせんが、ありえない想像をするとすれば……」

「うん、するとすれば？」

「拳で殴り折られたのかも知れやせん」

「な、なにいっ……」

目を大きく見開いたのは、飯田次五郎だけではなかった。

「あるいは素手で摑まれて、へし折られたか」

「そんな馬鹿な。拳で殴りつけても、素手で摑んでも、下手をすりゃあ五本の指をつけたまま片手が吹っ飛んでしまわあな」

「だから、あり得ない想像と申しやした」

「じゃあ、そのあり得ない想像が当たっているとしてだ。滝澤先生と立ち合った野郎ってえのは、右手に持った武器で滝澤先生の心の臓を貫くと同時に、左手で先生の剛刀を殴り折ったか、へし折ったと言いたいんだな」

「べつに言いたくはありやせんよ。そのように想像しただけのこって」

「判ったよ。有難く参考にさせてもらわあな」

「ところで滝澤先生には御家族はいらっしゃらねえんですかい。それに女中とか下働きの者《もん》とか……ええ静かじゃねえですかえ」

「宗次先生は役人じゃねえんだ。急いで余計な事を知らなくてもよろしい」

「水臭い事を言いなさる。そうですかい。判りやした、出過ぎないように致しやしょう」

「そうしてくれ、うん。ところで、これからが本題なんだがねい先生よ。こっちへ来てくんねえ」

飯田次五郎がそう言うと、二人の周囲《まわり》に居た同心たちがその言葉を待っていたかのように黙ったまま散り出した。剣客滝澤蔵之助の遺体を改めて検分し始める者、道場から出て「日常生活の間」の方へ曲がって消え去る者、道場東側の庭先へ下りて何かを探し出す者、それぞれが急に自分の役割を思い出したかのようだった。

飯田次五郎は道場の式台《しきだい》（道場主の監覧《かんらん》位置）の裏側に当たる部屋——板の間——へと、宗次を促《うなが》した。

そこは練習に訪れた門弟たちの「更衣《こうい》の間《ま》」で二十畳大の広さがあった。東側が庭に面した明るい部屋で、入って正面は腰高の位置から腕を伸ばした高さまで刀架けとなっていて、それぞれに小さな名札が下がっている。門弟の剣士としての地位・格によって使用場所は厳しく決まっているようだった。

部屋に入った左右両面には、着替えや小荷物を納める縦横二尺大の真四角な扉付き更衣棚が、天井の高さ近くまで作り付けられていた。これらの扉にも、矢張り名前を書いた紙が貼り付けられている。

「この内のよう……」と呻《うめ》くように言いつつ、飯田次五郎がその扉の名前の位置を指差した。

これ迄に見せた事のないような苦悩に満ちた飯田の表情に気付いて、宗次も思わず身構えた顔つきとなる。

「この方《かた》とこの方、そして更にこの方とこの方……いずれも大身御旗本の御子息で当道場では師範代級の実力者たちなのだがよう先生。昨日、何者とも知れねえ荒荒しい武芸者に、この道場で斬殺されてんだ」

「な、なんと……それ程の数の実力者が……」

「そして続いて生じた今朝のこの酷《むご》い騒動だ。名流道場に於ける旗本家御子息の余りの無念について、老中会議が昨夜遅く『この件、南北両奉行所で探索せよ』

とお決めなされてな」

「左様でしたかえ」

「今朝早くまさに探索に動き出そうと俺たちが身拵《みごしら》えしていたところへ、追い打ちを掛けるように滝澤先生の無念の報告が飛び込んできやがったい」

「誰が奉行所へ知らせやしたので？」

「毎朝ここへ野菜を届けている湯島の『八百善《やおぜん》』のな、外回りをしている年寄りでえ。なに、この年寄りは俺と顔見知りの信用できる爺《と》っつあんだい」

「今朝、この道場で起居する者が誰ひとりとして北町奉行所へ駆け込んでいねえという事は飯田様……」

「先生の想像している通りだい。この『明神館』で起居する者は悉《ことごと》く殺《や》られちまったい。老いも若きもなあ……」

「なんてえこったい。酷過ぎるじゃねえですかい」

「まぎれもなき剣客と認められていた旗本家御子息の無念についちゃあ、門弟多数が見守る中で生じているんで、凄まじく荒荒しい武芸者、と人相風体はほぼ摑めているんだが、今朝の『明神館』の事件についちゃあ、何一つ判っちゃあいねえ」

「ですが飯田様。この事件の探索にまさか浮世絵師宗次を巻き込むお積もりじゃ御座いやせんでしょうねい」

「そうじゃねえよ。先生に是非見て貰いてえ物があって、この部屋へ来て貰ったんだい」

「見て貰いてえ物？」

「こいつなんだ……」と言いながら飯田次五郎の手が更衣棚の扉へと伸びた。

その更衣棚の扉には、内村練三郎の名札が貼ってある。「明神館」の筆頭師範代だ。

何ら躊躇《ちゅうちょ》することなく飯田次五郎がその扉を手前へ引き開けて、白い手拭いのようなものを取り出した。きちんと二つに折りたたまれている。

「これだよ先生。ちょいと見てくれ」

「拝見」

受け取ったその二つ折りを開いた宗次の表情が「はて？」となった。

それは確かに白い木綿《もめん》の手拭い様《よう》のものだった。しかも生地はかなりの厚手だ。

ただ端からもう一方の端にかけて黒い糸で竜が刺繍《ししゅう》され、その竜に一頭の白い猿《さる》が跨《また》がっている。

「この竜刺繍の手拭いと全く同じものがよ宗次先生。剣客滝澤蔵之助先生の遺体の顔にもかぶせられていたんだい」

「なんと全く同じものが？……」

「同心の一人にその手拭いを持たせて今、手拭いづくりで知られた日本橋の『田《た》野《の》屋《や》』へ走らせているんだわ。何ぞ判るんじゃねえか、と思ってな」

「内村練三郎……と仰るんですねい。この更衣棚を使っている御人《おひと》は」

と、宗次は扉に貼られている名札を眺めた。

「道場の式台右に掛かっている門弟序列の名札を見るとよ。筆頭師範代らしいんだな。この内村練三郎様は」

「『明神館』の筆頭師範代といやあ相当な腕だろうに」

「それが荒荒しい武芸者とやらに殺られちまって、しかもその竜刺繍の手拭いが更衣棚に入っていたという訳だい」

「その荒荒しい武芸者とやらは、こいつを何時《いつ》更衣棚へ入れたんでしょうねい。道場を訪れるやこの部屋に侵入して内村練三郎様の更衣棚と知って入れたのかどうか」

「そこんところは、さっぱり判らねえ。なにしろ惨劇を見守っていた門弟たちの殆どがひどく動転しちまっているのでなあ」

「人相書を急いだ方が宜しいねい。だが、ちょっと妙でござんすよ飯田様」

「なにが……」

「道場の実力門弟たちを打ち倒したのは荒荒しい激情的な武芸者、だったとのことですが、私《あっし》はその野郎が滝澤先生を倒したんじゃねえとみやすぜ。同じ竜刺繍の手拭いが二日続けて見つかったとしやしてもね」

「儂も先生と同じ意見よ。尤も、先ほど滝澤先生を倒した凶器がほぼ判明したことで同じ意見になったんだがよ」

「滝澤先生は細長い鋭利な武器で一瞬の内に刺殺されていなさる。あれは激情家の手口じゃござんせん。非常に冷徹な鋭い感性の持ち主が相手だった、とみた方がよござんすね。稲妻《いなずま》のような突き業《わざ》、とでも言いますかねい」

「別人が相手だった、という事になるのかな……。ところでよ先生。竜に一匹の猿が跨がっていることに何か意味があると思っていなさるかえ」

「ご覧なせえ、この猿の表情。非常に賢《かしこ》そうでござんしょ」

「なるほど。言われてみればね。しかも真っ白な猿ときている」

「猿のように知能が高い場合《べえ》はね飯田様。場合によっちゃあ〝匹《ひき》〟じゃあなくて〝頭《とう》〟で数えてやらなきゃあならねえらしいんですよ。これは噂でござんすが、猿を巧《たく》みに使いこなす伊賀《いが》・甲賀《こうが》の忍びなどは、猿を人並みに〝人《にん》〟で数えると言いやす」

「ほほう……さすが宗次先生。よく知っていなさるねい」

と、宗次を見つめる飯田次五郎の目が、探《さぐ》りを入れるかのように鋭くなった。

「この竜と猿が何を意味するのか私《あつし》には見当もつきやせんが、ま、私《あつし》は私《あつし》なりにちょいと調べてみやしょう」

「そうかい。絵仕事で忙しいところすまねえが、ともかくも力を貸しておくんない」

「力を貸す、なんてとんでもねえ。お手伝いさせて戴きやすよ」

「頼まあ。何か判ったら連絡してくんない。その手拭い、持って行かれては困るからすまねえが返してくんな」

「判りやした。道場奥の〝日常生活の間〟とやらは私《あつし》に見せて戴けねえんですかい」

そう訊ねながら宗次は飯田の手に手拭いを返した。

「そいつあ勘弁してくれ。いくらなんでも宗次先生は北町の役人じゃねえんだからよ」

「承《うけたまわ》りやした。そいじゃあ、これで失礼いたしやす」

「その内また一杯付き合ってくんない」

「声をかけて下さりゃあ、いつでも……御免なすって」

宗次は飯田次五郎に向かって軽く腰を折りつつ、その手にある〝竜猿《りゅうえん》手拭い〟にチラリと視線を流して「更衣の間」から出た。

十六

大月定安邸へ足を向けながら、宗次の脳裏では手拭いの竜と猿が現われたり消えたりを繰り返していた。

(あの竜猿の刺繍には、下絵《したえ》があったという特徴が見え隠れしている。竜の前脚と猿の両手、それに竜の目と猿の目……あのひっそりとした簡素な特徴には明らかに禅の精神のかたちが窺《うかが》える。また竜の全身には攻撃的なしかし格調高い幽玄《ゆうげん》・侘《わび》の枯淡美《こたんび》が満ちている)

間違いない、あの刺繍に下絵があったとしたらそれは**東山時代**《ひがしやま》(室町《むろまち》時代東山文化の頃)のものだ、と宗次は推測的に断定した。

驚くべき宗次の鑑定能力である。いや、それは鑑定というよりは、矢張り不断の学習・研究姿勢によるもの、と言うべきであろうか。

室町幕府の第八代将軍足利義政《あしかがよしまさ》は、十年の長きに亘《わた》る将軍家・家督相続の乱(応仁《おうにん》の乱)が終息すると、京都の東山に山荘をつくり、山荘の仏殿として二層の楼閣を建築した。

上層は禅宗様で「潮音閣」と呼ばれ、下層は書院造で「心空殿《しんくうでん》」と称した。

この仏殿こそが、後《のち》に言われる銀閣寺《ぎんかくじ》（慈照寺《じしょうじ》銀閣）である。

本格的和風住宅の原点とも言えるこの東山山荘に象徴される「禅の精神を表わす簡素美」および「連歌の精神《こころ》を思わせる幽玄・侘の枯淡美」こそが、**東山時代**の一大特質というものであった。

その**代表的な美**こそが「枯山水《かれさんすい》の庭」であり、たとえば竜安寺《りょうあんじ》石庭や大徳寺《だいとくじ》大仙院《だいせんいん》庭園がそれである。

宗次は小さな仏具商の角を右へ折れた。

道幅二間《にけん》ちょっとしかないこの広くない通りは、町家が切れる少し先辺りから向こうへかけて小旗本の屋敷が窮屈そうに立ち並んでいる。

その右側の端に大月定安の小屋敷があるのだが、仏具商の角を曲がったばかりの宗次にはまだ見えない。

宗次は足を速めた。

どうしても今日中に、国学者であり歴史学者である大月定安から教えを乞《こ》わねばならないと思っている。

その宗次の足取りが、町家が切れ小旗本の屋敷が立ち並ぶ通りへ入る手前で緩《ゆる》んだ。

宗次がチッと舌を打ち鳴らす。

（つけてやがる……）と胸の内で呟いた宗次の脳裏に、この界隈の表通りが瞬時に描かれた。それこそ狸小路《たぬきこうじ》、鼠小路《ねずみこうじ》まで知り尽くしている宗次の足が、然り気ない風に小路へと折れ曲がる。

宗次は、行き先が大月邸であることを、尾行者に知られる訳にはいかない、と思った。先程、剣客滝澤蔵之助の信じられないような無残な死を見たばかりである。その惨劇が大月邸にまで飛び火することだけは避けたい、と宗次は思った。

「明神館」と大月邸は今のところ何の関係もないように思われたが、宗次の直感はすでに〝防禦《ぼうぎょ》〟の態勢を取りつつあった。

（善玄寺《ぜんげんじ》から入っていくか……）

と宗次は思った。大月邸と背中合わせの位置に応道《おうどう》宗紀山《きざん》派善玄寺の広大な敷地の展《ひろ》がりがある。

（どうやら、まいたな……）

と、宗次は少し肩の荷を下ろした気分になった。

（それにしても滝澤蔵之助先生ほどの剣客が、あのような倒され方をするとは……相手は一体どのような人物なのであろうか。そして何故《なにゆえ》、人格技倆とも第一級と評されてきた稀代《きたい》の名人は倒されなければならなかったのか……あのように無残に）

宗次は背後に注意を払いながら自問自答を繰り返した。

小路の彼方《かなた》、突き当たりに善玄寺の裏山門が見え出した。

宗次は立ち止まり、振り返った。

誰の姿も見当たらぬ、深《しん》と静まりかえった小路があるだけである。

〝尾行〟は自分の勘違いであったか、と宗次は思い直しかけたが、しかしそれは、間もなく訪れる衝撃の前奏であった。

十七

宗次は善玄寺の小造りな平唐門《ひらからもん》（裏山門）を潜《くぐ》ったところで、右側門柱の陰へするりと体を寄せた。それは離れた場所つまり尾行者の位置にあっては、裏山門を入ってごく自然に右へ曲がったと見えたことだろう。

宗次はそのまま門柱にもたれて、暫《しばら》く所在無げに空を仰いでいた。訪れるかも知れない者を、まるで待ち構えでもしているかのようにして。

その間、目の前の赤松の林で何羽もの烏《からす》がうるさく鳴き出した。何か獲物でも奪い合っているのであろうか、穏やかでない鳴き方だ。

「さてと……どうかな」

呟いて宗次は、自分が歩いてきた方角に向けて、門柱の陰から姿を現わした。素早くでもなく、のっそりでもない身の動かし様《よう》だった。

しかし、中小の武家屋敷が肩をぶっつけ合うようにして立ち並ぶ小路には、ひとりの人の姿も見当たらない。尤《もっと》も、この小路は中小武家屋敷の背中――裏塀《うらべい》

――に挟まれた通りであって、善玄寺への裏参道の役割を負ってはいるのだが、昼間でも何とはなし物騒な雰囲気が漂っているため、往《い》き来する者は殆どいない。

それら中小武家屋敷の裏塀のところどころには、屋敷の小者《こもの》が掃除などで出入りするための戸口は見られるものの、大方は終日、固く閉ざされている。

「ま、いいかえ」

宗次は呟きを残してくるりと向きを変えると、庫裏《くり》の裏口を右手直ぐの所に見て赤松林へと入っていった。

頭上で鳥が先程よりもうるさく鳴き続けている。

「あ、宗次先生……」

赤松林に入って十間《じっけん》と進まぬ内に、後ろ斜めから黄色い声がかかって宗次は振り向いた。その声の方へ〝ある計算を加えた〟かのような、素早い振り向き様だった。

その視線が鋭さを放って、裏山門へと注がれている。

「お久し振りでございます。今日は和尚《おしょう》様はいらっしゃいますよ先生」

庫裏の裏口を出て直ぐの赤松林の手前で、こちらを覗《のぞ》き込むように上体を斜めにしている小僧――十二、三か――に対して、宗次は軽く手を上げて頷《うなず》いてみせたが、裏山門へ注がれた視線はそのままだ。

何といつの間に現われたのか、そこには、ある者の姿があった。

ついに、現われた。

「和尚様に伝えて参りますね宗次先生」

小僧は気を利かせた積もりであろう。まだ幼気を漂わせる笑顔と黄色い声を残して、庫裏の裏口へあたふたと戻っていった。

宗次は小僧に向かって答えもしなければ、身じろぎもしない。

庫裏の腰高障子が、ピシャッと乾いた小さな音を立てて閉まる。

裏山門へ向けられた宗次の双眸《そうぼう》は、らんらんたる光芒《こうぼう》を放ち出していた。両手は拳をつくっている。

その拳が、何を意味するのか、ミシリと軋《きし》んだ。

小造りな平唐門柱に右の肩を触れるようにして、異様な身形《みなり》のひとりの武士がいた。

黒の着流し、黒の帯、そして黒羽織に黒鞘《くろさや》の大小《だいしょう》刀を帯びた侍である。年齢《とし》は三十一か二といった辺《あた》りであろうか。履物《はきもの》も雪駄《せった》、鼻緒《はなお》ともに黒だ。

白金に在《あ》る高松藩下屋敷内の鬱蒼《うっそう》たる原生林の中に人に知られることなく埋没している勇猛の将高輪長者丸信時とその一族の墳墓。

今より凡《およ》そ二百年前の「白金合戦」で憤死したと伝えられるその勇将と一族の墳墓の真上で、突如《とつじょ》宗次の背中へ張り付くようにして気配全く無しに現われた謎の侍。

あの日からまだ数日とは経っていない。

不気味としか言い様のないその侍――「闇之介」が裏山門に佇んでいたのである。

宗次の足が赤松林から、裏山門に向かってゆっくりと戻り始めた。

すると何故か、闇之介の足はゆっくりと退《さ》がった。宗次を誘い込むかのような退がり方ではない。

宗次の足が出た分だけ退がったという、ごく自然な相手の動き様に、宗次の表情が微《かす》かに「ん?」となって体の動きが止まった。

なにしろ、気配全く無しに背中に張り付くようにして現われた相手である。あのとき相手にもし殺意があったなら間違いなく斬られていた、と〝確信〟している宗次であった。

宗次が味わった時のその衝撃は余りにも大きかった。これまでの様様な騒動で対決してきた手練《てだれ》たちとは「桁違《けたちが》いに恐ろしい」と思っている。

「いつぞやは……」

穏《おだ》やかに声をかけながら、宗次はまた足を踏み出した。

このときになって、うるさく鳴き騒いでいた鳥が静かになっていることに宗次は気付いた。羽音すら立てない。

宗次が歩み出した分だけ闇之介がまたすうっと退がる。無表情に。

「私《あつし》に何ぞ御用でも？」

再び物静かな口調で声をかけて立ち止まる宗次であったが、相手は答えなかった。

この間《かん》、宗次は闇之介の五体を注意深く観察することを忘れない。

相手には当たり前に手足がしっかりとあった。中空に浮かんでいる訳ではない。その姿も鮮明であって、薄気味悪くぼうっとぼやけている訳でもなかった。

つまり、まぎれもなく〝実在者〟だった。亡霊などでは決してない。

が、しかし、その現われ方は余りにも異常であり唐突という他なかった。武家屋敷の裏塀に挟まれた狭く長く隠れ場所のほとんど無い小路である。

身を潜《ひそ》める場所の無いその小路を、宗次の後方への注意を物ともせずに光のように一瞬のうち裏山門に辿《たど》り着いた——そうとしか説明しようが無い闇之介の現われ様《よう》だった。

宗次にしてみれば高松藩下屋敷での出会いに続いて、「またしても……」である。

「私《あっし》に何ぞ御用でも……」

宗次はもう一度訊《たず》ねたが、今度は相手に向けて足を運ばなかった。

闇之介は答えるかわりに、空を仰いだ。澄みわたった秋の空だった。

「勝手にしなせえ」

宗次は空を仰いでいた視線を下ろした闇之介にチラリと笑いかけて言い残すと、踵《きびす》を返し歩みを速めた。

闇之介が出現した以上、大月定安邸を訪ねる事は「今日は諦めるか……」と思うしかない宗次だった。

赤松林を東に向けて横切ると、本堂と経堂、鐘楼《しょうろう》が並び立つ境内に出て、本堂と鐘楼の間に立派な表山門が見える。

宗次は赤松林を出たすぐの所で、ゆっくりと振り返った、闇之介が後をつけてくる気配は終始捉《とら》えていた。いや、と言うよりは、どちらかと言えば闇之介が気配を消していなかった――足音を消していなかった――と言った方がよかった。

宗次と闇之介との間は随分《ずいぶん》と縮《ちぢ》まっていた。

宗次の歩みに対して、闇之介の方が足を速めたのであろうか。

「闇之介様、私《あつし》に御用があるなら仰《おつしや》って下さいやし」

宗次ははじめて相手の名を丁寧《ていねい》に口にした。

「お前、これから何処へ行く積もりなのだ」

闇之介がようやく口を開いた。口に布切れでも当てて喋《しゃべ》っているような、くぐもった声だった。

「やっとこ口を利《き》いて下さいやしたかい。私《あつし》がこれから何処へ行こうが闇之介様には関係ねえんじゃござんせんか」

「そうはいかぬ」

「え？……何と仰いやした」

「そうはいかぬ……と申した」

「じゃあ、その理由《わけ》をお聞かせ下さいやし」

「それも出来ぬ」

「なんですかい、それは。私《あっし》が己れの体を東西南北どちらへ向けて歩ませようが、私《あっし》の勝手でございやしょう。ほっといて下せえ」

「もう一度訊ねる。これから何処へ行く積もりか」

「答えなきゃあ、どうなさいやすんで」

「斬る」

と告げた闇之介の目尻《めじり》がぐいっと跳ね上がった。炎《ひ》を打ち放つかのような狐《きつね》目《め》であった。

宗次は顔、首に湯を振り撒《ま》かれたような熱を感じて、二間《にけん》ばかりを思わず飛び退《さ》がった。

（な、なんだ。今のは……）

宗次は呼吸《いき》を小さく乱しつつも、闇之介の目から己れの目を決して逸《そ》らさなかった。逸らせば次の変化に対して対応できない、という本能的な恐れが、このときすでに宗次を捉《とら》えていた。

「これが最後だ。これより何処へ行くか正直に答えよ」

「答えやせん」

「お前が町人でないことは、高松藩下屋敷での身のこなし、そして今また見せた飛燕《ひえん》の如き身捌《さば》きでいよいよ判った。名乗れ。お前は一体何者か」

「町人でござんすよ。生業《なりわい》は浮世絵師、名は宗次。住居《すまい》は鎌倉河岸そば神田三河《かんだみかわ》町《ちょう》の薄汚ねえ八軒長屋」

「そのような隠《かく》れ蓑《みの》は通用せぬ。名乗れ、何処の何者じゃ」

「しつっこい御人《おひと》でござんすね。隠れ蓑なんぞ着ちゃあいやせんし、答えようのないものは、答えられませんや」

宗次が言い終えるよりも先に、右手を刀の柄《つか》にかけた闇之介が、あっという間に迫ってきた。

(風だ……)と宗次は感じた。感じた時はもう、頭上に真っ向から斬り下ろされていた。しかもである。その白刃が宗次には全く見えなかった。

相手の肉体の動きも、刀の翻《ひるがえ》りも激烈な速さという他ない。

宗次ほどの者が(殺られた……)と目をかたく閉じ首を竦《すく》めた。

幹竹割《からたけわ》りにされ血を噴《ふ》きあげた無残な己れの死に様《ざま》が一瞬脳裏《のうり》に眩《まぶ》しくあらわれ、消滅した。

だが……頭上に打撃は覚えなかった。

(え……)と、宗次は薄目を開けた。そして何事もない己れの五体を、はっきりと感じた。痛みもなくひとすじの血の糸さえ皮膚を伝い落ちている様子もない。

宗次は、辺りを見まわした。

闇之介は消えていた。明るく澄んだ秋空の下に、掃き清められて塵《ちり》一つない静かな境内が広がっている。間違いではなかった。今の今まで確かに〝実在者〟であった闇之介は完全に消えていた。

どういう事か、と宗次は低く呻《うめ》いた。呻く他なかった。

改めて着ているものをよく調べてはみたが、刀の切っ先が触れて裂けているところなど、どこにも見当たらない。

闇之介は刀を振り下ろさなかったのか？

「それにしても……一瞬よりも短《みじけ》え間に、何処へどのようにして消えたというんでい」

宗次は茫然となるしかなかった。空《むな》しさにも見舞われていた。大剣聖と崇《あが》められてきた父梁伊対馬守隆房との激しい鍛練の日日は、一体何だったのかと思った。あの闇之介に全く太刀《たち》打《う》ち出来なかったではないか、と悔しさがこみ上げてきた。拳業《こぶしわざ》の恩師である草想禅宗名誉僧正・雲円が口にした「念霊」という言葉が胸の内を一瞬掠《かす》める。

「駄目だ。話にならねえ……自分はまだ小さ過ぎらあ」

宗次は肩を落として歩き出した。

（あの消え方、現われ方は尋常じゃあねえ。修練に修練を積み上げた名うての忍びであっても、あれは出来やしねえ……かと言って闇之介は妖怪でも亡霊でもねえ……。あれが念霊とでもいうのかえ）

胸の内で声なき呟きを繰り返しながら、宗次は表山門を潜って外に出た。

左手半町と行かぬところに、大月定安邸の門扉のない冠木門《かぶきもん》が見えている。門扉がないという事は、「学びたき 志《こころざし》 ある者いつでも門を潜って来《きた》れ」という考えなのであろうか。

宗次は「志學館《しがくかん》」の看板が掛かっている古い冠木門の前に佇《たたず》んだ。

冠木門だけではなかった。建物も相当に古い。屋根は瓦葺《かわらぶき》でも割板葺でもなく、藁葺《わらぶき》だった。しかも、随所にぺんぺん草を生やしている。白い小さな花を咲かせるぺんぺん草は春の七草の一つであるにもかかわらず、湿気でか如何《いか》にも重そうに見えている藁葺屋根の上に、秋の空へ向かって元気よく茂っている。

宗次は腕組をして迷ったように暫くの間「志學館」の看板を眺めていたが、「矢張り今日は止すか」と、自分の足を促《うなが》して門の前からゆっくりと離れた。だが矢張り、〝迷い足〟であった。訪ねてみたい、が本心だった。

十八

四日ぶりに八軒長屋の路地に入った宗次は、溝板《どぶいた》を踏み鳴らさぬよう気を付けながら我が家へ向かった。

が、「はて？」と我が家の手前でその足が止まる。

表口の腰高障子が開いているではないか。尤も一日中錠なし同然の表口だから、誰かが無断で入ってても別段おかしくはない。

（まさか闇之介じゃあねえだろうなあ）

と、首をひねった宗次の目配りが珍しく弱気を覗かせたとき、開いている表口から男がひとりひょいと姿を現わした。なんとまあ、安くはなさそうな酒樽――角樽・一升《いっしょう》入り――を右手に提《さ》げている。

筋向かいに住んでいる屋根葺職人久平であった。

宗次を認めて久平が「おっ」という表情をつくり、宗次も「よっ」と軽く右手を上げ返した。

近付いてくる宗次を待って、久平が土間へ姿を引っ込めた。

「やあやあ……」と言いながら四日ぶりに我が家へ入った宗次は、表口の腰高障子を静かに閉めた。

筋向かいから久平の女房チヨと娘の花の明るい笑い声が聞こえてくる。

「先生、四日もの間どこに姿を消してたんだよ。心配しやしたぜ」

「絵仕事、絵仕事。近場《ちかば》じゃあなかったんで泊まり込みでな」

「絵道具は？」

「まだ描き終っちゃあいねえんで、現場へ置いてきたよ」

「相変わらず忙しいんだねい。ま、仕事は忙しくなきゃあいけねえがよ」

「その樽酒どしたんだえ。私《あっし》に下さるのかえ親方」

「ちょっと、ちょっと、その親方はもう止しにして下せえよ。この酒樽ね、屋根葺のとくに大事な部分がほとんど終ったんで『ご苦労さん』と藩が下さったんでさあ。私《あっし》の子分に化けていた先生の分までよう」

と言い終えて、ニヤリとする久平だった。

「ほう。何もやっちゃあいねえ私《あっし》の分までもかえ。そいつあ嬉しいや。藩てえのも何だね、なかなか気の利いた事をしてくれるねい。で、あの大屋根の下にあった七体の遺骸はどうなりやしたい」

「藩の手によって何処かへ移されやしたよ。私《あっし》ら職人に対しては『何も見なかった』を強く念押しされ、『嫌な気分を味わったであろう。皆で一杯やってくれ』

とこの酒に加えて五両のカネも出やしてね」

「五両も……一人当たりに？」

「とんでもねえ。職人皆で五両ですよう、皆で……」

「だろうな。遺骸は何処へ運ばれたか見当もつかねえのかい」

「判んねえなあ。私《あっし》ら職人は半日ばかし大屋根に上がることを禁じられ、その間に何処かへ移したようだい。大屋根をひっぺがして運び出した訳じゃあねえから、その様子は全く判らねえやな」

「そうか。おそらく藩の手で丁重《ていちょう》に供養された事だろうよ。ところで久平さん、今日は仕事は休みかえ」

「俺の仕事は遠くの泊まり仕事が多いんでよ。今日一日くれえは家族にくっ付いてやらねえと」

「と言う事は大事な部分は予定よりもかなり早く終ったんだな」

「うん、みんなてきぱきとよく働くし、いい腕してっからよ。けんど残った部分は、そうは簡単には終らねえ。傷みがひど過ぎるからよ。いやなに。大事な部分の手入れがほとんど済んだんで、あとは動きのはやい若い職人たちに任せたんだ。俺は明日から、前前から頼まれていた葛飾《かつしか》の寺の仕事に当たらなきゃあならねえんで」

「凄いなあ。この道では久平さんは引っ張りだこだねい」

「有難いことで。じゃあ先生、酒は此処へ置いときやすんで」

「申し訳ねえなあ、何一つ手伝ってねえのによ」

「いいってことよ。気持ちよく呑んで下せえ」

上がり框《がまち》に酒樽を置いた久平は、宗次の肩をポンと叩いて外に出ていった。

表口が久平の手でガタピシと音立てながら閉められるや、それまで柔和《にゅうわ》だった宗次の表情が打って変わって険《けわ》しくなった。

酒樽の横へ宗次は腰を下ろし、腕組をすると「判らねえ」と呟いた。

天井を仰いで溜息まじりでさえあった。闇之介が脳裏に浮かんでいた。

どう考えても闇之介の現われ様が納得できなかった。謎どころではなかった。

やはり「念霊《ねんりょう》」とかについて真剣に考える他はない、と思った。

と、表口の腰高障子に近付いてくる足音があった。

小股を思わせるせわし気な足音で、チヨさんだな、と宗次には直ぐに判って表情が柔和さを取り戻した。が、闇之介の姿は脳裏にしっかりと残ったままだ。

「開けるよ」

とチヨさん以外には出せない嗄《しわが》れ声があって、腰高障子が遠慮の無い力任せな開け方で、戸柱にぶつかりビシャーンと大きな音を立てる。宗次にとっては聞き馴れた音だ。

「や、いま久平さんから結構なものを貰っちまったい。全くすまねえ」

「貰っときな。これ、小鮒《こぶな》の佃煮だよ。酒の肴《さかな》になると思ってさ」

土間に入ってくるなりチヨが小皿に大盛の、小鮒の佃煮を宗次に差し出した。

「こいつあ旨《うま》そうだ。手作り？」

「当たり前さ。江戸の女が佃煮なんぞを買っているようじゃあ、いい女房にはなれないよう。それに買うと結構高いんだから」

「チヨさんは料理上手だからなあ。日が落ちたらこいつを肴に酒を楽しませてもらわあ」

「足らなくなったら『足らねえ』と大声で叫びな。花に直ぐに持ってこさせっから」

「なに、これだけありゃあ充分でい。久平さん、明日から葛飾へ泊まり仕事だってね」

「また幾日か独り寝なんだよう。この大き過ぎる乳房《ちち》を何とかしておくれな先生」

チヨは泣き出しそうな顔を拵《こしら》えて言うと、両手を胸に当て切《せつ》なそうに揺さぶってみせた。

「判ったよ。余程に淋しくなったら、いつでもそっと忍び込んで来な。乳房《ちち》をさすってやっから」

「本当《ほんと》？」

「ああ本当《ほんと》」

「きっと来るからね」

「待ってるよ」

チヨは嬉しそうに表口を閉めて戻っていった。いつもの調子であった。挨拶みたいなものだ。忍び込んで来た事など、一度としてない。

宗次は酒樽と小鮒の佃煮を、四本脚の一本が少しぐらついている古びた文机《ふづくえ》の上に置き、そのままごろりと仰向けに寝転んだ。脳裏に闇之介はまだ残っている。

（それにしても……技倆《ぎりょう》人物ともに秀逸と伝えられていた真明一刀流の滝澤蔵之助先生ほどの剣客が、ああも無残に殺《や》られるとは）

宗次は胸の内で声なく呟いた。

「もしや下手人は闇……いや、まさか」と、宗次は寝転ばせたばかりの体を、むっくりと起こした。

そよ風にふわりと吹き流されるが如《ごと》く飄然《ひょうぜん》と滝澤道場「明神館」へ入っていく闇之介の動きを、宗次は想像した。

その光景は目の前に大きく浮かび、それまで脳裏にあった闇之介は消えていた。

道場で闇之介が滝澤蔵之助と静かに向き合う。

「道場破りといった邪《よこし》まな考えではなく、真に修練として真明一刀流の真剣の形を学びたい、というそなたの言葉を信じて要《かなめ》の形を一手お教え致そう」

「ありがとう御座いまする」

まだ一人の門弟も現われる筈《はず》のない朝の刻限であった。広い道場で向き合った二人は礼儀正しく頭を下げ合ってから目を見合わせ、腰の刀を鞘から滑《すべ》らせた。

身じろぎもせずに向き合う滝澤蔵之助と闇之介。

「違うぜ、違う……」

と漏らして宗次は頭《かぶり》を僅《わず》かに振った。

想像した目の前の光景は、かき消えていた。闇之介が腰にしていたのはまぎれもなく黒鞘の太刀である。

だが、滝澤蔵之助を倒した剣はその創痕から、手元——柄《つか》——近くの差し渡しが凡《およ》そ半寸程度の六角形をした細長く鋭利なもの、と思われた。

闇之介が腰にしていた太刀とは余りにも違い過ぎる。

（それに気性激しい武芸者に倒されたという『明神館』筆頭師範代内村練三郎の更衣棚に入っていた竜猿刺繍《りゅうえんししゅう》の手拭《てぬぐ》い。しかもそれと全く同じものが、殺られた滝澤蔵之助先生の顔にもかぶせられていたというじゃあねえか……この竜猿刺繍の手拭い、一体《いってえ》何を意味しやがるのか）

と考え続けた宗次の想像は、「明神館」に立ち入り数名の高弟と滝澤蔵之助を斬殺した刺客の組織を意味するものでは……というところで停止した。

納得できないままの停止だった。また、意味の無い想像をそれ以上に広げてみても仕方がない、という思いもあった。

「それよりも大事なのは、なぜ『明神館』が殺し屋同然の恐るべき剣客に踏み込まれたのか、その理由《わけ》だあな。道場主も門弟たちも評判のよい大道場だけに、どうも判らねえやな」

単なる憎悪がらみにしては、滝澤蔵之助の斬られ様《よう》は余りにも無惨すぎる、と思う宗次であった。

（どうも組織対組織の対決を窺《うかが》わせるような、なんとも凄まじい斬り口だったが……思い過ごしってえ奴かねえ）

それを物語ろうとしているのが、竜猿刺繍の手拭いではないか、と宗次は考えるのだった。

「もう一度丹念にあの竜猿刺繍の手拭いを検《み》てみてえが……間違《まちげ》えなくあの刺繍には東山時代の特質が潜《ひそ》んでいる」

宗次がそう呟いた時だった。

表口が静かに開いて、息を堪《こら》えるかのようにしてヌッと入ってきた男二人があった。二人とも額《ひたい》や鼻柱に玉のような大粒の汗を浮かべている。

それだけで、長屋口まで懸命に駆けてきたと判った。それから先は長屋路地の溝板を踏み鳴らさぬように気を配って近付いて来たのであろう。

「これはまた……どう致しやしたい」

と、宗次は居住まいを正した。

二人の男は上がり框に腰を下ろして、険しい目を宗次に向けた。惨劇のあった真明一刀流滝澤道場「明神館」で別れてから、まだそれほど刻《とき》が経っていない北町奉行所の市中取締方筆頭同心飯田次五郎と春日町の平造親分だった。

「おい宗次先生よ」と、平造親分がドスの利いた渋い声を出した。

「へい」

「高名な国学者であり歴史学者でもあって、親藩高松藩の藩校教授の職にもあられた大月定安先生を、何用で訪ねなすったい」

「えっ」

宗次は思わず驚いてしまった。日頃から気を許し合っている相手であったから尚の事だった。

しかし、驚いた事は、宗次をいささか不利な立場へと追い込んだ。

「何をそんなに驚いていなさる。え、先生よ」

ギラリと目を光らせた平造親分とは対象的に、飯田次五郎は表口の方へぷいと顔を向けて宗次を見なかった。

「いや、なに、親分が意外な事を知ってなさるもんで驚いただけのことで」

「意外な事？」

「と、私《あつし》は思ったんでござんすよ。誰にも知られちゃあいめえ、と気を付けながら訪ねやしたもんですから」

この言葉は一層のこと宗次を不利な立場へと追い込むのに充分だった。

「先生よ、誰にも知られることなく大月定安先生を訪ねたかった、という事ですねい」

「まあ、ね。その通りですよ」

「何のご用で？」

「一体どうなさいやした親分。ネバッとした物言いは春日町の平造親分らしくありませんや。私は嫌いですぜ、そういうの」

「ネバッとした物言いはよ、宗次先生の事を心配しているから、そうなってしまうんでい」

「私《あっし》はね親分。確かに大月定安先生を訪ねようとしやしたが、諦めたんでござんすよ」

「諦めた？　屋敷内へは立ち入らなかったと言いなさるのかえ」

「その通りでさ。門は潜っちゃあいやせん」

「なぜ、諦めなさいやした」

「それはさ、今はちょっと言えませんや。私《あっし》にだって、これだけは軽軽しく口にできねえってもんが有りやすから」

すると、それまで表口の方へ顔を向けていた飯田次五郎が、頷《うなず》きながら宗次の方へそっと首を振った。

「平造、宗次先生は無関係だ。言葉の一つ一つに淀《よど》みがねえやな」

「そりゃあもう、私《あっし》だって承知いたしておりやす。端《はな》っから宗次先生に黒い臭いなど感じちゃあいやせん。ただ……」

「ま、いい。先生には率直に打ち明けた方が話が早い。あのな先生よ」

「お聞かせ下さいやし。誰にも漏らしたりは致しやせん」

「そんな事についいちゃあ信じてるわさ。昨日今日《きのうきょう》の付き合いじゃあねえんだ。実はよ先生……」

そこで言葉を切った飯田次五郎は雪駄を脱ぐと、大刀を腰帯から抜き取って板の間に上がり込み胡座《あぐら》を組んだ。向き合う宗次とは二尺と離れていない。

「ほんのつい先程の事だが、大月定安邸へ出入りの魚屋が真っ青になって番屋へ駆け込んで来たと思いねえ」

「何か大事がありやしたね、大月邸で」

「あったともよ。魚屋から通報を受けた番屋の若い者《もん》が『明神館』で調べを続けていた我々の元へ『大月邸が一面血の海だ』と、駆け込んできやがったい」

「なんですってい」

と、宗次の顔色がさすがに変わった。

「詳しく聞かせておくんなさいやし、飯田様」

「その前に、もう一度確認しておきてえ」

「なんなりと……」

「宗次先生は本当に、大月定安先生を訪ねようとしたが、訳あって屋敷の門は潜らなかったのだな」

「誓って真実《まこと》でございやす」

「訳あって、のその〝訳〟ってえのは此処では打ち明けて貰えねえのかえ」

「いま少しお待ち下さいやし飯田様。そのうち必ずや……」

「判った。信じて待とう。で、大月邸だがな宗次先生よ。定安先生ご夫妻、女中二人、下働きの老夫婦の六人と、定安先生に教えを乞《こ》いに訪れていた若い藩士の三人、合わせて九人が殺害されていたんだ」

「………」

宗次は声も出ず、ただ目を大きく見開いて背すじを反《そ》らすだけであった。「明神館」に続いて、またしてもである。地響きを立てて巨大な何かが一気に動き出した……長い眠りから醒めて。

そう捉えるしかない宗次の、衝撃の受け様《よう》だった。

「しかもだ先生。大月邸を訪れていた若い藩士三人の内の二人は、藩で一、二を競《きそ》う無外流《むがいりゅう》の剣士であったらしくてな」

「そのお二人は、激しく抵抗した末に殺られなすったのかどうか現場の様子から判りやしたので？」

「二人とも一刀両断というやつだ。綺麗すぎるくれえの袈裟斬りでよう。刀は鞘から抜いていたが刃毀《はこぼ》れ一つねえんだ。ありゃあ、襲ってきた奴と一合も打ち合っていねえよ先生」

「うむ……そうですかえ。で、明神館事件のお調べに加えて、その騒動のお調べについても、権力すじから北町（奉行所）へ何か指示が出やしたんですかい」

「ほんの少し前に飛び込んできた事件じゃねえか。まだだよ。まだだ。しかし高松藩が藩による捜査を強く主張しねえ限り、おそらく北町への指示は間もなく出るだろうよ。だからよ、剣術道場の事件を調べている頭数の三分の一をすでに大月邸へ回したんだがな」

「何か下手人の目ぼしでも摑めやしたか」

「無茶を言うねい。まだ何一つ判るもんけい。明神館事件だけでも頭を抱え込んでいる俺たちなんでい。そこへ持って来て大月邸事件だ。俺はもう、頭がこんがらがって誰に何を指示してよいのか判んねえよ」

「飯田様と平造親分が私《あっし》を訪ねて来られやしたのは、誰ぞに何ぞ聞かされての事ですかい」

「大月定安邸の前で暫し立ち尽くしている宗次先生を遠目に偶然見かけた者《もん》がいるんでさあ。名は言えやせんがね、身元のしっかりした奴で」

黙っていた平造親分がゆったりとした調子で口を開き、右手の甲《こう》で額の汗の粒を拭った。

「なるほど。そこを見られていたとしたら、ま、私《あっし》に多少の疑いが掛かっても仕方ござんせんねえ。だが親分、私《あっし》には無外流の手練二人を一刀のもとに倒す剣術の腕なんぞござんせんよ。私《あっし》は町人なんだ。浮世絵師なんだ。目の前《めえ》に百両積まれたって無外流の剣客二人との大立ち回りなんぞ、御免こうむりやす」

「気を悪くしねえでくれ先生。これも十手持ちの役目なんだ。事件にコツンと触れそうなものについちゃあ、一つ一つ潰《つぶ》していかなきゃあならねえ」

「そりゃあ判っておりやす」

「この平造は、まかり間違っても宗次先生に疑いを抱くもんじゃあねえ。だがよ先生、此度の二つの事件、こいつあ矢っ張り先生に本腰を入れて手伝って貰わなきゃあならねえ。まったく人手が足らねえどころじゃねえんでよ」

「へい。手伝わせて戴《いただ》きやす。けんど親分、それに飯田様。『明神館』の滝澤蔵之助先生や高弟の方方が犠牲となり、此度またしても高松藩一、二の剣士が一刀のもとに殺られたとなりやすと、余程に注意なさいやせんと捕手《とりて》側に大勢の死傷者を出す恐れがございやす」

「その通りよ……それが怖い。正直言うとな」

飯田次五郎が平造親分よりも先に言って頷き、脇に置いてあった大刀を手に胡座を解いて上がり框から土間へと下りた。

「まったく、こんな重くて長え庖丁《なげほうちょう》の要《い》らねえのんびりとした時代《じでえ》に、早くなって欲しいもんだぜ。将軍様の御威光とやらで何とかならねえのかねえ。もう必要ねえんだよ、こんな長庖丁はよう。物騒でいけねえや」

「飯田様。北町の筆頭同心が口になさるお言葉じゃござんせん。壁に耳あり、でござんす。どうか抑《おさ》えなさいやして」

平造親分に諫《いさ》められて、飯田次五郎は「ふん」と鼻を鳴らすと、しかめっ面《つら》で外へと出ていった。

「邪魔したな。いきなり無粋《ぶすい》な訪ねようをしちまったが、気を悪くしねえでくれよ先生」

「とんでも……私《あっし》の方でも何か摑めやしたら、直ぐに報告に参りやす」

「頼まあ。そいじゃな……」

「ご苦労様で」

平造親分が出てゆき、表口の腰高障子が静かに閉じられた。

「大変な事になってきやがったい」と、宗次は表口を睨みつけるようにして呟いた。

十九

それから五日ばかり宗次は絵仕事に集中し、騒がしい世の中のあれこれを自分の体の内《なか》から一切追い出していた。

凡そ一年前から描き出していた本所《ほんじょ》に在《あ》る寺院の壁画が最終段階に入っていた

のだ。

これまで壁画は小さな寺院のものを三件体験している宗次であったが、今回のものは百畳大ほどもある大寺院読経《どきょう》堂（修行堂）西側の壁の全面である。

外壁に対してではない。修行僧が心身を無の境地へともって行かねばならない堂の内壁に対してであった。

寺院の名は心願禅《しんがんぜん》宗《しゅう》関東本山法徳寺《ほうとくじ》。徳川家との所縁《ゆかり》深い名刹《めいさつ》であり大寺院である。

宗次が寺から依頼された壁画の課題は「騒心鎮定《そうしんちんてい》」であった。揺れ動き乱れる心身を落ち着かせる、という意味なのであろう。この読経堂へ入った修行僧は俗界の何もかもを忘れひたすら「無」の境地へ達すべく努めなければならないのであろう。

そこで考えに考えて宗次が描き始めたのが浮世絵美人画の手法を取り入れた「女神九体絵図」であった。薄衣《うすごろも》――天羽衣《あまのはごろも》の胸元を開いて授乳する美しい女神の絵、湯浴みをしているところ、水辺で童《わらべ》と遊んでいる光景、薄衣の胸元を乱して野原に横たわりうたたねをしているところ、など宗次渾身の妖《あや》しく美しい女神九体の絵図である。いずれも豊かに張った乳房を露《あらわ》とさせ、修行僧の心身を掻《か》き乱さんとする宗次一流の気品あふれる〝策画〟であった。

宗次は今、九体目の女神「蝶を追う毘沙門天《びしやもんてん》の妃《きさき》」の最後の段階を終えようとしていた。豊かな乳房が透《す》けて見える薄衣をまとった吉祥天女が左手に如意宝珠《にょいほうじゅ》を持って、秋の竹林《ちくりん》に飛び交う色さまざまな無数の秋の蝶と戯《たわむ》れている絵図である。

九体の作の中で宗次が最も引き込まれ、それこそ体力、知力、気力の全てをささげて挑んだ女神絵図だけに、吉祥天女の僅かに微笑《ほほえ》む表情の気位高い美しさ、そして豊満な女体の近寄り難い神聖なる妖しさは、それこそ観る者の心を奪う程の出来栄《ば》えとなっていた。

「うむ……これでよし」

吉祥天女の左足の小指の爪を、ほんのりとした薄紅色で染めて、宗次はようやく納得したように絵筆を置いた。

読経堂の中央あたりまで下がった宗次は、「授乳する天母女神」を描いた一番右端の絵から、視線をゆっくりと左端の「蝶を追う毘沙門天の妃」へと流していった。

その〝作業〟を四度も五度も繰り返して、「うん」と宗次から頷きが出た。

「騒心鎮定」を課題とした「女神九体絵図」の完成だった。

この読経・修行堂である百畳大の板敷き大広間には、正面に向かって東側(右側)と西側(左側)にそれぞれ三間幅もの廊下が走っている。つまり百畳大の板敷き大広間は二本の三間幅大廊下に挟まれている、ということだった。

東側大廊下は石庭に面しており、宗次が「女神九体絵図」を完成させた漆喰《しっくい》塗りの白壁は西側に長く広がっていた。

僧たちがこの読経・修行堂に入ってくるのは西側の大廊下入口からであり、したがっていきなり神気艶然《えんぜん》たる「女神九体絵図」に頬をぶたれる事となる。

果たして耐えられるか。

読経・修行堂は頻繁に使用されているため制作中の「女神九体絵図」は僧たちの目に触れぬよう、天幕様《よう》のものでしっかりと隠されていた。管主・僧正相念《そうねん》でさえ、宗次がどのような「騒心鎮定」画を描いているのかまだ一度も見てもいないし知らされてもいない。

修行の刻《とき》の他は事前の許しなく読経・修行堂に近付くことは、宗次の絵仕事の邪魔になるとして厳しく禁じられている。

もう一度「うん」と頷いた宗次は「女神九体絵図」に背を向け、東側大廊下の方へと近付いていった。

読経・修行堂と大廊下は、障子で仕切られている。

大廊下の雨戸は雨の日でない限り決まって朝五ツ半(午前九時頃)には開けられているため、射し込む日差しで障子が今にも炎《ひ》を噴き上げそうなほど薄柿色に染まっていた。

その障子を宗次はそっと細目に開けて石庭の様子を窺《うかが》った。

石庭に僧たちの姿が無いと判って、宗次が次次と障子を開けていく。

目映《まばゆ》いばかりの日の光が読経・修行堂に射し込んで、宗次の「女神九体絵図」があでやかな彩飾を浮き上がらせた。

圧巻であり鮮烈であった。宗次自身そう感じた。

絵の季節は、右端「授乳する天母女神」の早春から始まって、「蝶を追う毘沙門天の妃」の秋で終っている。季節の移ろいが、花、蝶、果樹、野草、林、小鳥、竹林、小川、田畑、などによって美しく幻想的に描かれていた。

「ひとひら……あれに舞い落ちた方が……なお妖しいかな」

呟きながら宗次が西側の大廊下へと戻ってゆき、絵筆を取ってその筆先を軽く絵具に触れさせ、「授乳する天母女神」の前に立った。

右の乳房を吸う赤子の小さな手が、左の乳房をやわらかく摑み、その摑まれた部分の凹凸《おうとつ》のとても浮世絵とは思えぬ繊細すぎる描写に、観る者のめまいを誘いそうな妖美な輝《かがや》きがあった。

しかも、赤子の左手親指と人差し指にはさまれた桜色の乳首の美しさは、妖しさを超越してまぶしいばかりの神神《こうごう》しさである。

宗次の絵筆の先がその乳首にそっと慎重に近付いてゆく。

そして女神の背後にある梅の老樹から雪の如《ごと》く舞い落ちる薄紅色の小さなひとひらを、乳首に触れるか触れないかのところに、すうっと描き上げた。

描き上げた宗次が、思わず生唾《なまつば》をのみ込んで、そのまま立ち尽くす。

暫《しばら》くして宗次の口から「幸……手伝ってくれたな……出来上がったよ」という呟きが漏れ、ホッとした笑みを浮かべた。

余りにも美し過ぎる九体の女神……その筈《はず》であった。宗次は、大江戸の男という男が「指先だけでも軽く触れてみたい」と想い憧れる神楽坂の高級料亭「夢座敷」の若き女将幸を胸の内に秘めて、女神九体を描き続けていたのだ。

「宗次殿、いかがですかな」

大廊下を閉ざしている引き戸の向こうで、老いた者と判る穏やかな声がした。

宗次には無論のこと即座に、管主・僧正相念と判る声であった。

「はい。昨日申し上げましたように、たった今出来上がりましてございます」

「おう。とうとうな。では入りますぞ」

「どうぞお入りください」

いつにない丁寧《ていねい》な口調の宗次であった。べらんめえ調が消えている。

高僧しか知らない〝からくり錠〟の外れる音がして大廊下出入口の引き戸が静かに開き、剃髪《ていはつ》の綺麗な老僧がにこやかな表情で入ってきた。生まれた時からそうなのか、それとも厳しい修行に耐えてそうなったのか、崇高《すうこう》な品位に満ちた何とも言えぬ程に優しい面立《おもだ》ちだった。

その老僧の足が大廊下を数歩と行かない所で「おお……」と止まった。

「これは何と見事な……」

「お気に召して戴《いただ》けましたでしょうか」

「お気に召すも何も、これほど気高く近寄り難い絵を見た事がありませぬよ宗次殿。拙僧は〝女神の絵〟と見ましたが間違っておりましょうかな」

「さすが御坊でございます。ご提示いただきました『騒心鎮定』の課題を如何《いか》に満足させるべきかあれこれと相当に迷いましたが、『女神九体絵図』として描かせて戴きました」

「女神九体絵図のう。いい響きじゃ。さすが宗次殿よのう。一体一体についてこの年寄りに説明して下され。坊主頭の八十歳の体に何やら炎《ひ》が付きそうじゃ。ははは っ」

「恐れ入ります。では説明させて戴きます。先ず、絵は早春の光景から始まって秋で終っております。はじめは冬景色もと考えておりましたが課題である『騒心鎮定』の〝騒心〟は、雪降る冬景色や枯れ凍《い》てついた山川草木にはどことなく似合わぬと判断致しまして、秋までの景色を取り入れましてございます」

「なるほどのう。いい判断じゃよ宗次殿、一番はじめの女神が赤子に乳房《ちち》を含ませている目映《まばゆ》いばかりの絵に……これは梅、じゃな？」

と、言葉の途中で老師が梅の木を指差した。

「はい」

「この梅の花吹雪《はなふぶき》が、誠によう合《お》うておるのう。とくにこの、乳房に降りかかっておる小さなひとひらは名状し難いほどの絶品ぶりよ。何とも言えぬ」

「絶品ぶり……でございますか」

「そうじゃ。絶品ぶり、じゃ。はははははっ」

「梅の花は桜の花のように、花吹雪になる事は少ないと申しますが……」

「なになに、いいのじゃ。風が吹けば花は散る。咲く命の終りが近付けば如何に美しい花でも散り落ちる。梅の花吹雪でよいよい。眺むる者の息を止めてしまうほど美しい春景色じゃ。じゃから見てみなされ宗次殿。女神の乳房の輝きが、ひとしおではないか」

「はあ……ありがとうございます」

「さて、次は？」

宗次は女神の一画一画についてゆっくりと丁寧に説明していった。

ひと通りの説明を受けて、いたく感動した相念老師は、それとはなしに遠慮する宗次を、「まあまあ……」と庫裏に離れのかたちでつながる茶室へと誘った。

だが、なんと茶室に調《ととの》えられていたのは茶の湯ではなくて、般若湯《はんにやとう》と精進の肴であった。

宗次の表情が苦笑まじりに「やっぱり……」となる。

「さ、お座りなされ。戒律を論ず立場ゆえお相手は出来ぬが、さる大身《たいしん》旗本家から〝香りだけでも楽しんで下され〟と頂戴した京《みやこ》は伏見《ふしみ》の銘酒じゃ」

「お気遣い戴き申し訳ありません」

「独《ひと》り酒《ざけ》ですまぬが手酌でな。これも酒に触れてはならぬという戒律の一つなのじゃ」

「御坊も思い切っていかがでございますか。戒律というのは破るためにあるのではございませんか」

と、言葉を交わし合いつつ、向き合って座る二人であった。

「ははは。若い頃は私も戒律破りは一度や二度、経験しておるが今の立場ではそうは参らぬよ宗次殿」

「で、ございましょうねえ」

宗次も微笑みながら、漆塗りの柄付き貧乏徳利から盃へと酒を注いだ。お寺の盃にしては珍しい、それとも飲み易《やす》いようにと宗次に気を遣《つか》ったのか、深目のぐい呑み盃でこれも漆塗りであった。

何やら由緒ありそうだ。

トクトクトクと心地よい音がして、ぐい呑み盃が満たされる。

その盃を静かに口元近くにまで上げて、宗次は老師と目を合わせた。

「頂戴いたします」

「遠慮のう……」

宗次はゆっくりと呑み干して、小さな息を吐き「うまい……」と漏らした。

「お気に召しましたかな」

「はい。大層な銘酒と判る香りと味でございます」

「それはよかった。たんと呑みなされ。肴は精進のものしかありませぬが」

「元来、銘酒にとっては、精進の物は最高の肴と申しますが……」

「ほほう。最高の肴とな」

「あまり味の濃いもの、素材の匂いの勝《まさ》るもの、などは銘酒の折角の香りと味を飛ばしてしまうとか言われております」

「なるほど……」

と、頷いて優し気に目を細めた老師の表情が、ふっと真顔《まがお》になった。

「ときに宗次殿。気を悪くなさらんで戴きたいのじゃが……」

「は？」

と、宗次は二杯目の盃に触れかけた手を、思わず引っ込めた。

「いま何か迷っていなさるのかな。それとも悩んでいなさるのかな」

「えっ」

「いや。何もなければ宜《よろ》しいのじゃ。ただ、ちょっと、心の揺れが見えたような気がしたのでのう」

「描き終えた絵のどこかに、邪《よこし》まな乱れでもございましたでしょうか」

「とんでもない。絵には一片の曇りもありはしませぬよ。一心不乱の集中が絵の隅隅《すみずみ》に見事なまでにあらわれておる。この年寄りが言いたいのは、この茶室に一歩入ってからの宗次殿のことじゃ」

「この茶室に一歩入ってからの？」

「それまでの一心不乱から急に解き放たれて心身に緩《ゆる》みが生じたのであろう。その緩みの中から、悩み、迷い、恐れ、のようなものが一瞬だが顔を覗かせたような気が致しましたのじゃ」

凄い、と宗次は思った。さすが厳しい修行に耐えて長い人生を歩んで来られた老師である、と鳥肌立ちさえした。

茶室へ一歩入った時、絵と向き合ってきたそれまでの緊張から急激に解き放たれたことは事実である。そして、まさにその瞬間だった。闇之介の姿や「明神館」の無残な光景が脳裏にあらわれ、また大月定安邸の事件を思い浮かべて暗澹《あんたん》となったのは。

「御坊の仰《おつしや》います通りです。詳しくは申せませぬが、この浮世絵師宗次はいま、悩み、迷い、恐れ、に捉われております。まだ未熟者ゆえ、ただそれに振り回されるばかりで」

「あれほどに見事な壁画を揺るぎない集中力で描き続けるという事は、とうてい凡人には出来ぬことじゃと、この年寄りは思うておる。あの気高くも妖しく美しい壁画には菩薩《ぼさつ》が衆生《しゆじよう》をいつくしむ慈悲の精神《こころ》が隠されていると見た。つまり……高い位《くらい》を極めた武士の精神をな。そなた、元は侍か。それとも余程に厳しい武家の子として鍛え上げられたか……」

「御坊……」

宗次は座っていた座布団から静かに退《さ》がると、額が畳に触れる程に平伏した。綺麗な平伏であった。

「私《わたくし》は町人の絵師でございます。たまさか、小器用な手先が運を摑んだに過ぎぬ凡人でございます。御坊の仰いますような高い位を極めた武士の精神など、持ち合わせてはおりません」

「これこれ宗次殿。何を堅苦しい姿勢を取っていなさるのじゃ。楽にしなされ、楽に」

と、僧正相念は破顔《はがん》した。

「さ、さ、元の位置にお戻りなされ。動揺させてしもうたようじゃの。悪い悪い。銘酒も燗《かん》が冷めると味も香りも落ちようほどに、さ、たんと呑みなされ」

「恐れ入ります」

座布団の上に戻った宗次が、ぐい呑み盃を手に取ると、先に「独り酒ですまぬが手酌でな」と言っていた老師が漆塗りの柄付き貧乏徳利を手に取った。

「これは……申し訳ありません。戒律がございますのに」

「なんの……これしき」

と微笑みながら老師が優しい眼差しで宗次の盃を満たしていく。

宗次は二杯目を呑み干すと、空になった盃を膝の上でほんのふた呼吸ほど休めてから、「御坊のお教えを戴きとうございます」と穏やかに切り出して、膝の上の盃を盆に戻した。

僧正相念が、こっくりと頷く。

「話してみなされ。お力になれるやも知れぬでのう」

「御坊はこの世に亡霊が存在するとお思いでしょうか」

「ほほう。随分と単刀直入《たんとうちょくにゅう》に訊くものじゃな」

「単刀直入に過ぎましたでしょうか」

「いや、それで宜しい。仏につかえて一日一日を厳しい修行としてきたこの年寄りじゃが、亡霊というのは、この世には……」

そこで言葉を鎮めた老師は首を横に振った。

「おらぬ。おりませぬよ宗次殿。この年寄りが断言しましょう」

「矢張りおりませぬか、亡霊というのは」

「あれほど素晴らしい絵を描く宗次殿が、亡霊について何ぞ悩みをお持ちなのかな。そのように空しい精神《こころ》など露《つゆ》いささかも感じさせぬ御人《おひと》のように思えるが……」

「私は然程《さほど》に一人前な人間ではありません。まだまだ未熟であることを、ここ数日とくに痛感いたしております」

「いま亡霊云云《うんぬん》を聞いてふっと思い出したのじゃが、そう言えば亡霊ではのうて実在する人間を思いのままに此処ぞと思う場所へ瞬時に移す業《わざ》を心得た集団がいたのう」

「なんですって……」と、宗次の顔つきが厳しくなった。

「ははは、ま、そう驚きなさるな宗次殿。二百年近くも昔の話じゃよ。したがって半ば伝説くさい」

「二百年近くも昔……」と、宗次の目の奥が光った。

「そう、大昔じゃな。だからどうにも伝説くさい。事実かどうか、よく判らぬ部分がある」

「是非お聞かせ下さい御坊。事実かどうかよく判らぬ部分があろうとも、大変関心があります。それは矢張り仏につかえる集団でございましたでしょうか」

「仏とも神とも無縁の邪宗じゃ。人心を惑わし、世の平穏に害悪を及ぼす邪宗じゃ。当時の仏教界からは全く相手にされなかったと伝え聞かされておる」

「その集団の実体について、御坊がご存知のたとえ僅かな範囲なりともお聞かせ下さいませんか」

「うむ……」

それまでにこやかであった僧正相念の表情が、宗次がこれまでに見たこともないほど険しくなって、双《ふた》つの目が凄みさえ放ち出した。

高僧の口から一体どのような事が語られようとするのか。

二十

心願禅宗関東本山法徳寺の僧正相念は厳しい表情で、しかし口調穏やかに語り出した。

「いま拙僧が申した実在の人間を思いのまま此処《ここ》ぞと思う場所へ送り出せる邪宗の組織じゃが……」

そこで言葉を切った相念は射るような眼差しでじっと宗次の顔を見つめ、宗次もまた相念の目と見合わせた。

「宗次殿……」

「はい」

「そなた矢張《やは》り只の町人、只の絵師ではないな」

「いいえ、誓って只の町人、只の絵師でございます」

「左様《さよう》か。ま、宜《よろ》しいじゃろ。で、その邪宗の組織じゃが先程も申したように如《い》何《か》にも胡《う》散《さん》臭《くさ》い〈源《みなもと》〉を二百年近くも遠く遡《さかのぼ》ることとなる。したがってじゃ

「……」

「伝説の部分が濃くあるやも知れぬ……でございますね」

「うむ。そう心得て聞いて下され。宜しいかな」

「承知いたしましてございます」

「その胡散臭い邪宗の〈源〉の起こりは、足利《あしかが》幕府（室町幕府）の根底を揺るがす結果となった応仁の乱の終りに近い頃と伝えられておりましてな」

「なんと。応仁の乱と申しますと足利将軍家の家督相続争いに端《たん》を発した、八代将軍義政《よしまさ》とその弟義視《よしみ》との争いでございますね。尤《もっと》も両者にはそれぞれ権力亡《もう》者《じゃ》の有力武将が付き、これが十年にも亘《わた》って代理戦争をやった訳でありますが」

「戦国時代の口火を切ったと言われておるだらだらと続いた十年にも及ぶその代理戦争じゃが、実際は八代将軍義政の妻日野富子《ひのとみこ》と、義政の弟義視との激突だったと言われておる」

「絵師としての私も交流する様様な人たちからそのように教えられてきております」

「なにしろ将軍の地位を継がせたい実子が正室日野富子との間になかなか出来な

んだゆえ将軍義政は焦《あせ》ったのかそれとも弟義視の甘言《かんげん》に乗ってしまったのか、義視に『九代将軍はそなたじゃ』と約束してしもうた」

「ところがその翌年でしたか日野富子が将軍の子を産んだ、という歌舞伎の舞台にのせてもいいような衝撃的な出来事が起きたのでしたね」

「その通りじゃ。さすが宗次殿よくご存知じゃな。その辺りじゃよ宗次殿。胡散臭い邪宗の〈源〉が芽を出し始めたのではないかと伝えられておるのは」

「芽を出し始めた、とはまだ組織的に活動を開始するには至っていなかったのですね」

「具体的に活動を始めたのは、応仁の乱の終り頃に先《ま》ず間違いないと言われておりましてな。宗教界あげての研究によりその〈源〉の中心人物の名も近頃になって浮き上がってきておる」

「中心人物は日野富子あるいは足利義視のどちらかではないのでございますか」

「どちら側か、と問われれば日野富子の側となるが、しかし〈源〉の主謀者たる者は日野富子ではないようなのじゃ」

「御坊、ご存知ならばお教え下され。〈源〉の中心人物とされる者の名を是非とも」

「京《みやこ》にある高僧大学嵯峨野門跡《さがのもんせき》別院の長官常信《じょうしん》殿は拙僧の若い修行時代の友じゃが、昨年の春に大事な用あってその門跡別院を訪ねた折り、常信殿から聞かされたのじゃよ。〈源〉の中心人物ではないかと見做《みな》される者の名を……」

「門跡別院長官常信様は邪宗についての研究に手を染めておられたのでございますね」

「今その方面の研究では常信殿の右に出る者はおそらくいないじゃろう」

「で、〈源〉の中心人物と思われる者の名は？」

「うむ。美貌の烈女とか言われておった日野富子の背後に目立つことなくぴたりと張り付いていたとされる忠勤の手練《てだ》れ武士……確か、麻倉《あさくら》……そう麻倉文之助と聞いたのぅ」

「麻倉……文之助」

そう言えばあの侍も、と宗次の記憶が甦《よみがえ》った。目黒養安院の寺領を借りて栽培していた浮世絵師宗次にとって命ほどに大事な絵具のもと真紅の花畑。その花畑を事もあろうに踏み荒して喜んでいた大名家の幼君らしいのを警護する侍の中に、「文之助……」と御正室風から呼ばれていた侍がいたことを、宗次は忘れていなかった。

幼君らしいのを手厳しく叱った宗次に、御正室風の指示を受けて斬りかかろうとした侍である。

小さな溜息《ためいき》を一つ吐いて僧正相念が言った。

「いやはや権力争いとは恐ろしいのう。そして実に汚いのう。その麻倉文之助が、日野富子が産んだ将軍義政の子義尚《よしひさ》に何としても天下を取らさんとして邪《よこし》まな方向へ動き出したらしい、と門跡別院の長官常信殿はほぼ結論づけておられるのじゃ」

「足利史の中で余り聞かぬ名でありますが麻倉文之助とは何者でございますか。足利幕府内に於《お》ける地位とか……」

「そこのところ、つまり如何《いか》なる権力をどの程度握っていたかについては、まだよく判っておらぬらしい。が、色色な質の高い史料を具《つぶさ》に突き合わせた結果、日野富子の極めて身近にいた実在の人物ではあったらしいのじゃ」

「もしや、御坊……」

「ん？」

「将軍の妻日野富子が産んだ義尚は、将軍の血を引いた子ではなかったのではありますまいか」

「ほほう、これはまた清廉な御印象の宗次殿も思い切った見方をなさる時もござるのじゃな」

「次期将軍の座が現将軍の弟義視に約束されたその翌年に、それまで子ができなかった現将軍の正室日野富子が都合よく出産するなど、出来過ぎのように思われませぬか」

「ふむふむ。生臭いことを口にすることはなるべく慎《つつし》まねばならぬ立場の拙僧じゃが、宗次殿の言わんとする事はよく判りますぞ。さ、思い切って申してみなされ宗次殿。構いませぬよ」

「はい。美貌の烈女と伝えられている日野富子は麻倉文之助と不義密通を働き、あふれんばかりの情炎によって麻倉文之助を邪まなる方向へと走らせたのではありますまいか」

「つまり、富子が産んだ義尚は麻倉文之助との間にできた不義の子、と仰《おっしゃ》りたいのじゃな」

「はい。それも富子が巧《たく》みに計算しての不義の子……」

「実はな宗次殿。京《みやこ》において常信殿から研究結果について別院であれこれと聞かされるうち、拙僧も義尚は麻倉文之助との間にできた子ではないか、と思うようになっておりましたのじゃ。それも富子の謀《はかりごと》に沿うようにして……」

「矢張り左様でございましたか。揺れ動く当時の権力構造から、そのように考えることの方が自然のような気が致します」

「常信殿の研究によれば、源氏《げんじ》（鎌倉幕府）、足利（室町幕府）、徳川（江戸幕府）の三幕府の中で最もねばついた液質（粘液質）の如《ごと》く権力に執着したのは足利だそうじゃ。なかでも炎《ひ》の如き美貌の烈女日野富子が最も激しく執着したとな」

「日野富子は御坊、確か二十歳《はたち》の頃に将軍の子（男児）を産み（長禄《ちょうろく》三年・一四五九）すぐに亡くしていたと思いますが」

「その通りじゃ。富子ははじめての子が亡くなったその原因を、将軍の乳母《めのと》でありながら後《のち》側室となった今参局《いままいりのつぼね》（?〜一四五九）の調伏呪詛《ちょうぶくじゅそ》にあるとした讒言《ざんげん》を信じて激怒、魅惑的な女性《ひと》であった今参局を死へと追いやってしまったのじゃが、どうやらこの頃から富子の権力への異常な執着が始まったようじゃ」

「将軍の魅惑的な側室の調伏呪詛によって愛する第一子を殺されたと信じた富子の権力への異常とも言える執着は、つまり狂気にも似た邪宗へと走らせる結果を招いたのではありますまいか」

「宗次殿。この私もまさしくそのように考えていたのじゃ。思えば可哀《かわい》そうな富子であったとな。ただ、常信殿の言葉を借りて申すとな、炎《ひ》の如き美貌の烈女であった富子の四相《しそう》（人がその心身に執着するために抱く四つの誤った相）の錯乱というものは、時代の流れという空間を流れ飛ぶようにして何十年、何百年と続いたであろう、という事らしいのじゃ」

「何十年、何百年と……」

「そうじゃ。それも亡霊とか魂とかいった凡《およ》そ非現実的な形で続くのではのうて、極めて具体的な形、たとえば組織、集団といったもので延延とのう」

「それを言うならば御坊、おそらく一方的に無念の死へと追いやられた今参局の富子に対する憎悪と怒りの方とて凄まじいものでありましょう。今参局の血の色に染まった四相の錯乱は、それこそ延延と時代を超えて富子に打ちかかろうとするのでは」

「そうじゃのう。両者の怨念《おんねん》を悲しくひきずった二つの組織・集団が二百年後のこの江戸でぶつかり合《お》うてもべつだん不思議ではない気がするのう。じゃが『怒り』は一方的に死を与えられた今参局の側がより激しく大きいじゃろうし、『無念』ははじめて生んだ子を失って讒言を信じた富子の方がより深いじゃろ。美しい二人の女性《にょしょう》がぶつかり合《お》うて血みどろの新たな悲劇が再び生じるとすれば誠に無益で野蛮《やばん》なことじゃ。実につまらぬのう宗次殿。実につまらぬ」

「仰る通りです。御坊はいま、この江戸でぶつかり合うて……と申されましたが、お聞かせ下さいましたことは京《みやこ》が舞台の……」

宗次がそこまで言ったとき、相念は「いや……」と軽く手を上げる様《さま》をとって、宗次のそのあとの言葉を遮った。

「宗次殿。これも常信殿の研究によればとなるが、今参局に関する数数の史料は、その一族は京を離れて一度鎌倉に集結し、そのあと江戸に移動したことを物語っているらしいのじゃ」

「なんですって……」

宗次は慄然《りつぜん》となって訊《き》き返した。日野富子に対して激しい憤怒《ふんぬ》を有する今参局の一族集団が京《みやこ》を離れて鎌倉から江戸へと流れてきたということは、やはり京を離れた日野富子の血族を追ってきた可能性がある。

「江戸のどの辺りに今参局の一族が集結しているのか判りませんか御坊」

「そこまでは判らぬそうじゃ」

「今参局の一族が江戸に集まっている可能性があるとすれば、それは日野富子の血族の動きを追ってのこと、と思われませぬか御坊」

「そう思《おも》うた方が自然じゃのう。激烈な情念に被《おお》われたこの二つの組織がもしこの江戸で激突するようなことがあらば、それは外様《とざま》大名たちを巻き込んで戦国の世へと逆戻りする危険すらある」

「大いにありましょう。外様大名たちの全てが徳川幕府に心底から服従しているとは思われませぬから、富子対今参局の騒乱をよい機会と捉えて双方のどちらかへ味方する振りを装《よそお》い、徳川幕府へ弓引き銃を撃ち放つ大事《おおごと》になる恐れは大いにありましょう」

「だが、富子の一族と今参局の一族の対決とは言《ゆ》うても二百年も前の足利時代にれるかどうか……」

端を発しており、おそれながらと徳川幕府の要職に就《つ》く御方《おかた》に訴え出ても信じら

「ここ心願禅宗関東本山法徳寺は、徳川家との所縁《ゆかり》深い大寺院でございます。上様に対し御坊が直接に動いて下さる訳には参りませんか」

「その前に訊きたいのう。宗次殿は何故にそこまで、日野富子と今参局の不幸な対決に関心を……いや、憂慮なさっておられるのかな。宗次殿のお話は、亡霊というものが存在するのかどうか、というところから始まった訳じゃが、それと日野富子・今参局とどのようなつながりがあると仰るのじゃ」

「あ、いや、それは……」

「何一つ、こうという具体的なものを調えずして、いかな拙僧とて軽軽しく上様にお目通りは出来ませぬ。今や絵仕事で大名旗本家への出入り少のうない宗次殿ならそこのところは判って戴《いただ》けるじゃろう」

「申される通りです。軽はずみなお願いでございました」

「いや、軽はずみなどとは思うてはおりませぬよ。宗次殿の頼みなら協力は惜しまぬ。じゃから拙僧が動き易《やす》いように考えられる条件を調えて下され。あれもこ

れもとは言わぬが一つでは動き難《にく》い。せめて二つ三つ筋の通った条件を整えて下され」

「判りました。ひとつ知恵を絞《しぼ》ってみます」

そう答えた宗次であったが、矢張り徳川家との関係が浅からぬ僧正相念殿には絶対に迷惑をかける訳にはいかない、という思いにとらわれ始めていた。

二十一

翌朝、宗次は明け六ツ半頃（午前七時頃）外から聞こえてくる長屋の女房《かみさん》たちの声で目を覚ました。「行っといで」「気をつけて」と亭主たちを職場へ送り出す長屋の女房たちの声はいつも明るくて元気がよい。

明け六ツ半は、だいたい職人たちが仕事に出かける刻限と決まっている。

「お前《まい》さん、ほれ、弁当忘れたら駄目だよ」

「おっといけねえ。ありがとよ」

「うっかり足場を踏み外すんじゃないよ」

「へん。天下の久平様に対して言うことかえ」

「行っといで。大事なお前《まい》さん」

「あいよ。稼《かせ》いでくらあ」

筋向かいの屋根葺職人久平と女房チヨのひときわ大きな声が鎮《しず》まると、長屋は再び暫《しばら》くの間静かになる。

宗次はゆっくりと寝床から出て身形《みなり》を整え出した。大仕事だった心願禅宗関東本山法徳寺の壁画を完成させたことで一息つきたいところであったが、そうもいかなかった。今日一日どうするかは、すでに決まっている。

宗次が寝床をたたんでそれを壁際へ押し滑《すべ》らせたところへ、「おはよ、起きてるかい先生……」と、表口の腰高障子がそっと開いてチヨが顔を覗かせた。

「おはよ、起きてるよ。久平さん、いま威勢よく出かけたようだねい」

「ああ、葛飾の寺の仕事でさ、支払いがいいんで大層張り切ってるよ」と、チヨが土間に入ってきた。

「いい腕してっから、久平さんは」

「自慢の亭主だよ。朝飯、大根の味噌汁と漬物しかないけどいいかえ」

「毎朝すまねえな。御馳走だい。頂戴《ちょうだい》するよ」

「待っといで。味噌汁に玉子落としとっから」

「ありがとう」

朝はチヨさんとの対話がないと始まらない、と思っている宗次であった。姉のように母親のように温かい、といつも有難く思っている。

宗次は簞笥《たんす》の一番下の引出しを開けると、奥の方へ手を入れて一両小判を一枚取り出し袂《たもと》に入れた。次いで一番上の引出しを開け、中に横たわっている名刀彦四郎貞宗《ひこしろうさだむね》の大小刀をじっと眺めた。

それこそ風のように斬り込んできた闇之介の動きが、脳裏《のうり》に甦っていた。

今日一日、せめて彦四郎貞宗の小刀だけでも、なるべく目立たぬよう腰に帯びておくか。

珍しくそのような弱気を起こさせるほど、闇之介を恐れている宗次であった。なにしろ斬りかかってきた闇之介の太刀が全く見えなかったのだ。

大剣聖と言われた師であり養父であった故・梁伊対馬守に幼少の頃より厳しい上にも厳しく鍛え上げられてきた宗次ほどの者がである。

（小刀といえども腰に帯びておれば、相手の斬り込みは怒りを増幅させ更に激しさを増すかも……やはり止そう）

考えをそう細めてしまって、結局、宗次は簞笥の引出しを力なく閉じた。下唇を嚙みしめている。かつてない宗次の複雑な表情であった。

「お待たせ」

と、宗次が見なれた古い盆に朝餉《あさげ》をのせてチヨが戻ってきた。

簞笥の前から離れて、宗次はきちんと正座をし背すじを伸ばした。チヨが作ってくれた朝餉を迎える時の、それが宗次の決まった作法だった。

「ゆっくりお食べ」

「いつもすまねえなチヨさん」

「水臭いことをお言いでないよ」

私《あたし》と先生の仲だろう、とチヨが笑いながら言いつつ板の間にまで上がって宗次の前に朝餉の盆を置いた。

「お代わりがいるようなら大声で叫びな。花《はな》に持ってこさせっから」

「うん。あ、それから……」

盆を置いて下がろうとするチヨの手首を、宗次はやんわりと摑《つか》んで引き寄せた。

「あ、いけないよ先生。こんなに朝の早くから……」

チヨが少し前のめりになって甘えたような鼻声を出した。いつもの嗄《しわが》れ声が、か細くなっている。

「これ……をよ。チヨさん」

宗次は素早く袂から取り出した一両小判をチヨの胸元に差し入れようとした。それが小判だと知るといつも頑《かたくな》に拒《こば》むチヨであることを知っている宗次であったから、今日は「矢庭《やにわ》に……」の感じがあった。

「あ、駄目。駄目だよう先生」

小判を隠すように握った宗次の手を、胸元で取り乱し気味に、しかし切なそうに押し返そうとするチヨであった。

「何を思い違いしてんでえチヨさん」

「え?」

「とにかくよ。頼むから私《あつし》の日頃の感謝の気持を受け取ってくんねえ。今日だけはこいつをよ」

言うなり宗次はチヨの大きく膨《ふく》らんだ胸元へ一両を滑り込ませた。

ようやくそれと判ったチヨが、顔を赤らめた。

「すまねえ。いつも朝餉や夕飯、申し訳なく思ってんだい。お花坊の喜ぶ物を何か買ってやってくんない」

「意地悪だよう。なんだか思わせぶりな手つきだったからさあ」

「胸元に滑り込んでしまったものは乳に押されて取り出せないから仕方がないさね。今日は嬉しく頂戴しとくよ先生」

「そうしときねえ。にしてもチヨさんは矢張り久平さんに心底惚れてんだ。今の抗《あらが》い様《よう》は結構本気だったたい。驚いたねい」

「なに言ってんだい。朝っぱらから自慢の胸を触られるのかと思わずびっくりしただけだよう。何ならもう一度迫ってくれないかねえ。今度は抗わないからさ」

「ははは　っ。朝飯にするよ」

宗次は苦笑して盆の上の碗に手を伸ばした。

チヨが土間に下りて振り返り、にっこりとした。

「先生……」

「ん？」

「あたしゃあ先生のことが本気で好きさ。大好きだよ」

「私《あっし》もだい」

宗次は飯を口に入れてから「本気だよチヨさん」と付け加えた。

「ふん。冗談で言ってるんじゃないのにさ……すぐ冗談で片付けちまうんだから」

呟《つぶや》きを残して外に出ていったチヨの後ろ姿へ、宗次は飯を頰張ったまま「ありがとよ、おっ母《か》さん」と頭を下げた。

真顔《まがお》になっていた。

近頃頓《とみ》にこの狭い長屋では絵仕事がし難《にく》くなっている宗次である。

仕事は大名旗本家や神社仏閣の襖絵《ふすまえ》や壁画といった現場仕事ばかりではない。

自宅の文机《ふづくえ》の前で絵筆を手にすることも決して少なくなかった。

だが絵道具の数も種類も次第に増し、依頼される絵は軸絵にしろ何にしろ大きくなる傾向にあって、いよいよ自宅の狭さを感じている宗次だった。

けれども、まるで選《え》りすぐられたように善人が揃《そろ》っているこの八軒長屋の住人たちのことを思うと、広い住居へ移る気になれないでいる。

朝餉をすませた宗次は、土間の片隅にある流し台で、房楊枝《ふさようじ》（歯ぶらし）と塩を用いて丹念に歯を清めた。宗次が使っている房楊枝は浅草寺《せんそうじ》近くの「清司堂《せいしどう》」で作られた安くはないものだった。樹高が十五丈《じょう》近くにまで成長する落葉高木ハコヤナギ（ポプラの一種）の細く割《さ》いた材《ざい》――長さは五、六寸――の先端を金槌《かなづち》で丹念に叩いて柔らかく潰《つぶ》し広げたものだ。職人によっては上手《うま》い下手《へた》の差が著《いちじる》しいのがこの房楊枝で、神業《かみわざ》の器用さを持つ職人の手にかかると、それこそ馬の毛ほどの柔らかさに匹敵する。日本へは西域、中国、朝鮮半島を経由して伝えられた「北方仏教」と共に楊枝が齎《もたら》され、したがってはじめの内は僧侶の間で用いられていたが、平安時代に入ると次第に公家の間にも広まり出した（日本ではマッチの軸も大抵このハコヤナギ）。

そして江戸期に入ると、房楊枝を作る職人の中には神業に達する者が少なからず出て、「あの職人の作る房楊枝でないと絶対に用いない」という大名旗本家が珍しくなくなり、人気職人の房楊枝ともなると結構な値が付いたりした。

口を清めた宗次は手拭《てぬぐ》いを手に外に出て、井戸端へ行き顔を洗った。

「行ってくらあ」

「行っといで。しっかり稼いどくれよ」

「判ってらあな」

職人や棒手振《ぼてふ》りたちが女房《かみさん》に見送られて次次と家の中から外に出てきた。

「お、宗次先生、おはようござんす」

「や、先生、行って参《めえ》りやす」

などと、井戸の周囲《まわり》が一時《いっとき》賑《にぎ》わったが、女房《かみさん》たちに見送られる男たちの背中が長屋口の向こうに消えるとすぐに朝の静けさに戻った。

「宗次先生、朝ご飯は？」

亭主の送り出しを済ませた女房《かみさん》たちの内の誰かは、宗次に必ずそう小声をかけることを忘れない。

「ありがとよ。先程チヨさんから御馳走になったい」

「チヨさんとこばっかしじゃなく、たまには私《うち》の朝ご飯も食べとくれな。玉子を付けるからさ」

「いつもすまねえな。じゃあ、明日の朝にでも頼めるかい」

「あいよ」

これも珍しくはない宗次と女房《かみさん》たちとの朝のやりとりだった。

春夏秋冬、宗次が朝の井戸端で顔を洗ったついでに上半身を清めることを知っている女房《かみさん》たちが、一人また一人と家の中へと消えてゆく。

宗次は上半身裸になると、井戸水で濡らした手拭いで白い肌が薄赤く染まるまで摩擦《まさつ》した。一見すると普通の肉づきであるにもかかわらず、とくに背中などを摩擦するときなど、皮膚の下に隠されている鍛え抜かれた幾層もの筋肉が両の肩に盛りあがる。

むろん長屋の女房《かみさん》たちがそのことを知らぬ筈《はず》がない。浮世絵の先生なのになんと凄い肉体《からだ》、と女房《かみさん》たちの〝七不思議〟の一つとなっている。どうにも町人らしくない上品な雰囲気の町人、という点もその一つだ。

身形を整えて宗次は井戸端を離れ、わが家の方へと戻った。とは言っても目と鼻の先の直《す》ぐそこだ。

表口障子に手を触れた宗次が手前へ引こうとするより、先に、向こう隣の表口がそろりと開いて三十半ばくらいに見える旅姿の夫婦が姿を見せた。

宗次と顔が合うと、亭主の方が青ざめた顔で懇願するかのように、口の前に人差し指を立てた。亭主の名は米吉《よねきち》、女房の方を安江《やすえ》と言って、不忍池《しのばずのいけ》そばに夫婦で午後から夜にかけて屋台蕎麦《やたいそば》屋を出している。八軒長屋の住人となってまだ一年ほどにしかならない大人しい目立たない夫婦だった。したがって長屋の住人たちとの付き合いもまだ浅い。

宗次は（何か訳ありだな……）とピンとくるものがあったから、口の前に人差し指を立てて体を硬くしている米吉に柔らかな表情を装って頷いてみせ、近寄っていった。

米吉・安江夫婦が宗次を誘い込むように、家の中へと退《さ》がった。

「どしたんでい。旅かえ？」

土間へ入った宗次は柔らかな口調で訊ねながら表口障子を静かに閉じた。

「長屋の皆さんに合わせる顔がないんで、そっと此処《ここ》から出て行こうかと……」

「屋台蕎麦の商《あきな》いがどうにも上手《うま》くいかなくて……」

と、女房の安江が肩を落として力なく呟いた。

やっぱりな、と宗次は思った。応援する意味もあって何度か夫婦の屋台を訪ねたりはしたが、とにかく味がまずいのだ。蕎麦そのものがまずいのではなく、蕎麦の旨味《うまみ》を活《い》かす大事な汁が駄目なのである。浅草《あさくさ》、新橋界隈《しんばしかいわい》の人気の蕎麦店を教えて「汁の風味ってえものをもっと研究してきなせえ……」と勧《すす》めたことも二度や三度であったが、果たして訪ねたのかどうか。

「これ以上、無理に頑張って蕎麦商《あきな》いを続けてもかえって借金を拵《こしら》えることになりますので」

と、亭主の米吉はしょげ返っている。

「で、この長屋を出て米吉っつあん、どうしなさるんで？」

「幸い子供のいない身軽な夫婦ですから、古里へ帰って年老いた両親の田畑《でんぱた》を引き継ごうかと思っています」

「百姓仕事ってえのは簡単じゃあござんせんぜい。余計なことを訊くようだが経験がおありなさるんですかい」

「十八の歳《とし》まで、両親の畑仕事を手伝っていましたから」

「そうでしたかい……」

宗次は頷《うなず》いたが、古里ってえのはどちらで？　とは訊かなかった。それこそ余計な問いかけだと思ったし、訊いてどうなるものでもない、とも思った。

「大家さんへも、ひと声かけないまま旅発《だ》たれますかい」

「店賃（家賃）はきちんと済ませてありますし、迷惑につながるようなことも残しちゃあおりません。このままそっと去らせて下さいな宗次先生」

「判りやした。じゃあ長屋の裏口からそっと出ていきなせえ。それからこれは少ねえけど……」

宗次は懐《ふところ》から銭入れを取り出すと、一分金二枚を「まあ、こんなことをされては……」と遠慮する女房安江の手に握らせた。

「申し訳ありません宗次先生。助かります」

と、米吉が今にも泣き出しそうになって頭を下げた。

「さ、もういいから裏口から行きなせえ。知った者と顔を合わせりゃあ、お伊勢《いせ》参りに、とでも言っておくこった」

「はい。それじゃあこれで……」

宗次は自分から先に外へ出て長屋路地に誰もいないことを確かめると、米吉夫婦を「さ……」と促《うなが》した。

夫婦が逃げるような足取りで長屋裏口から出て行くのを見届けた宗次は、たった今しがた空家となった所へ戻った。

備え付けの古箪笥の他には何一つ無い部屋になっていた。

「布団や鍋釜は一体《いってえ》どしたんだえ。別の荷駄《にだ》で先にそっと送り出したとでも？」

呟いた宗次であったが「ま、今更どうでもいいかえ」と思い直した。さすがに、長屋裏口から出る時に振り返って頭を下げた安江の悲し気な表情は気がかりであったが……。

片側八軒が長屋路地を挟んで向き合っている合わせて十六軒のここ「八軒長屋」は、つい半月ほど前までは表通りに面した杭《くい》を二本立てただけの長屋口門（通称・二杭門）からしか出入りできなかった。長屋そのものが高い塀《へい》の役割を負っていたのである。

これでは裏通りに出たり、裏長屋の住人に会いに行くのに不便、何とかしてくれと住人たちから声が出て、今では長屋路地を突き当たった裏塀に閂《かんぬき》付きの小さな裏口が出来ていた。

門がはずされるのは、明け六ツ半から夕七ツ（午後四時頃）までと定められ、門当番は長屋住民の交替に因《よ》った。

明け六ツ半と言えば大体職人が勤めに出かける刻限であり、夕七ツと言えばこれも大凡《おおよそ》だが武家の夕食が始まる頃に当たる。

宗次は住人が消えたガランとした空家の土間に暫く佇《たたず》んで、自分の住居《すまい》との仕切りとなっている壁をじっと見つめた。

（あの壁を打ち抜いて二軒を利用すりゃあ……いや、壁を打ち抜いてしまうと家の耐久力が弱まるかも知れねえなあ）

宗次は胸の内で呟きながら思案した。二軒の内のどちらかを仕事場に、どちらかを生活の場として使いたいものだ、と考えているのだった。

（ここは便利な所なんで次の住人はすぐに決まるだろうよ。大家に対して手を打つなら早目に動かねえとな）

よし、と頷《うなず》いて宗次は外に出た。

その宗次の顔色が二杭門の方を見てサッと変わった。空家の表口障子を半ばまで閉じた宗次の右手が動きを止めていた。

「またしてもかえ……」

吐き捨てるように呟き、そして舌を打ち鳴らした宗次であった。

あいつ――闇之介――が二杭門の外側に無表情にじっと立っていた。

これまでの闇之介とは着ているものがガラリと変わっていた。腰の両刀は宗次の見覚えあるものだったが、小袖は薄藍《うすあい》色でその上に着た羽織《はおり》は茶色、半袴《はんばかま》は羽織よりも薄い茶色だった。つまり公用あるいは公用に近い身形の闇之介であった。

とうてい公用とは思えないのは、宗次を見る鋭い目つきである。

宗次は空家の表口障子をきちんと閉じると、ゆったりとした足取りで二杭門へと近付いていった。

「矢張りこの貧乏長屋まで来られましたかえ。今日はまた改まった身形をなさっておられやすが何ぞいい事でもございやすので？」

宗次は長屋の住人への配慮から声を抑《おさ》えた。

「お前の住居《すまい》を確かめたに過ぎぬ」

答える闇之介の声も低かった。

「それはまた御苦労なことでござんす。これほど朝の早い内に私《あつし》の住居《すまい》を確かめることに一体《いってえ》どのような意味があるんですかねい」

「確かめることに意味があるだけじゃ」

そう答えて冷たい笑みを口元に浮かべた闇之介は、くるりと背中を向けて歩き出した。

もう用は済んだ、とでも言いたげなその後ろ姿を宗次は二、三歩追った。

「今日の闇之介様は虚像ですかえ。それとも実像ですかえ」

問いかけた宗次に闇之介は無言のままいきなり抜刀しざま、両脚を軸として体を激しく回転させた。

ビュッと鋭い唸《うな》りを発した刃が宗次の横面《よこつら》に襲いかかる。

たまたま表通りを道具箱を肩に通りかかった若い大工《だいく》風二人が「ひえっ」と驚き叫び慌《あわ》てて横丁に逃げ込んだ。

しかしこの時、姿勢低くぶつかるようにして相手に突入した宗次の肩は、闇之介の腋《わき》にがっちりと食い込んでいた。

次の刹那《せつな》その肩の上で、闇之介の体が大車輪を描いて舞い上がった。

闇之介に対しはじめて見せた凄まじい宗次の投げ業だった。

が、地面に叩きつけられたかと見えた闇之介が、全身を丸く縮《ちぢ》めるやくるりと回転して立った。

そのまま両者は、射るような眼差しでお互いに睨《にら》み合った。

両者ともに四呼吸ばかりその状態を続けたあと、宗次が先に口を開いた。

「ようやく実像を現わしてくれやしたかえ。しっかりと両の手で摑ませて戴《いただ》きやした」

長屋そばの事ゆえ宗次の声は低かった。

「どこで実像と判った」と、闇之介の声も囁きに近い。

「呼吸《いき》でござんすよ」

「呼吸《いき》……だと？」

「へい。闇之介様の呼吸《いき》を、ほんの微《かす》かに頬に感じやした。生身《なまみ》の人間としての呼吸《いき》をねい」

「今の猛烈な投げ業といい、貴様《きさま》はそのような尋常ならざる術《すべ》を心得ておったのか。矢張り貴様、只の町人ではないな」

「闇之介様の只今の斬り業にも、目のくらむような激烈な殺意がございやしたよ。激烈なねい。本気で私《あっし》を殺すお積もりでしたねい」

「お互い様であろう。生半《なまなか》な武芸の者が貴様の今の投げ業を受けていたなら避けようもなく地面に激しく叩きつけられ全身の骨が無残に砕けていたであろう。正体を明かせ。貴様、何者だ」

「それはこちらが訊きてえ事でござんすよ。闇之介様は一体《いってえ》どこの藩のどのようなお立場の御方《おかた》でござんす。なぜに私《あっし》を執拗《しつよう》につけ狙《ねら》いなさるんで」

「貴様ごときに答える必要はない」

闇之介はここで抜身《ぬきみ》を静かに鞘に戻し、鍔《つば》をカチッと小さく鳴らした。

「無茶な御人《おひと》だ。とてもじゃあねえが、この時代に生まれたお侍とは思えねえやな。まるで……」

そこで宗次は言葉を休めた。言葉の選択にいささか迷ったからであったが、それは長い迷いではなかった。

宗次は最も刺激的な言葉を、敢《あ》えて選択した。

「まるで、足利の時代から訪れなすった野蛮侍《やばんざむれえ》のようでございやすよ」

「なにい……」

闇之介の右手がまたしても刀の柄に触れようとするのを、宗次は穏やかな言葉で制した。

「今日はもう止しにしなせえ。二百年の昔の作法しか知らねえお侍《さむれえ》には、この通りが勤め人通りだってえことはご存知ありますめえ。今に誰や彼やがぞろぞろと通りに現われやす」

「言っておくぞ。この俺は二百年前とは無縁じゃ。後日必ず貴様の命は貰い受ける。忘れるな」

呟くように言い残し、闇之介は落ち着いた足取りで宗次から離れていった。

その後ろ姿が次第に遠ざかっていくと、横丁へ逃げ込んだ大工風二人が、ようやくのことおそるおそる姿を見せた。

「怖かったよう宗次先生。な、なんだいありゃあ」と背の高い方が遠ざかっていく闇之介の背を指差した。

「おう。亀吉《かめきち》っつあん、それに喜八《きはち》さんじゃあねえかい。朝の早くから偉《えれ》えところを見られちまったかな」

「だ、大丈夫ですかい先生」

「なあに亀吉っつあん、単純な人違いらしくってよ。全く迷惑な侍《さむれえ》でい」

「なんてえ奴だえ。今や江戸の宝みてえな先生にいきなり斬りかかるなんてよう。一体《いってえ》全体どこの田舎《いなか》侍でえ」

「ははは。まあ、誤りは誰にもあらあな。それよりも職人は勤めに遅れちゃあ信用を失っちまわあ。早く行きなせい行きなせい」

と、宗次は明るい笑顔を拵えて促した。

「へい。そいじゃあ先生、そのうちまた『しのぶ』で一杯《いっぺえ》……」

「喜んで。いつでも声をかけてくんねい」と、宗次は目を細めた。

「ごめんなすって」

二人の大工風は威勢よく宗次から離れていった。

我が家の方へと足を戻した宗次の顔からすうっと笑みが消えていった。

(どうも判らねえ。闇之介はなぜこの俺をあれほど執拗に狙いやがるんでい……)

胸の内で声にならぬ呟きを漏らして首をひねる宗次だった。

もう一度空家を見てみようと我が家の前を過ぎようとしたとき、筋向かいの表口障子が開いてチヨが出てきた。

「おや先生、どしたの？」

宗次のほとんど一日の表情を知り尽くしているチヨが、覗き込むようにして宗次と目を合わせた。

「あ、いや……そうだ……ちょいとチヨさんよ」

宗次はチヨの水荒れした手を矢庭に摑んで歩き出した。歩き出したとは言っても、ほんの数歩行けば済むことだ。

チヨが期待してうろたえる間《ま》もなく宗次は空家の表口障子を音を立てぬように注意して引いた。

「どしたのさ先生」と、事情を知らぬチヨはさすがに怪訝《けげん》そうに宗次の横顔を見つめた。

「ま、入ってくんねえ。大丈夫だ。悪さはしねえよ」

と促す宗次に「馬鹿……」と応じて空家に一歩入るチヨであった。

「あら……ま……」

屋台蕎麦屋の夫婦が住んでいた筈《はず》の家が蛻《もぬけ》の空《から》となっていることに驚いて、チヨが目を丸くした。

「蕎麦屋の夫婦、どうかしたのかね宗次先生」

「商いが上手くいかねえんで、江戸を離れたよ」

「夜逃げ？……」

「うん、まあ、みてえなもんだ。黙って消えるなんて長屋の人たちに全く申し訳ねえ、と涙流してたい」

「先生ん所へだけは挨拶《あいさつ》に来たんだね」

「そ……うん」と宗次は曖昧《あいまい》に頷いてみせた。

「私《あたし》も長屋の人たちと二度だったか三度だったか不忍池そばの屋台まで食べに行ったけどさあ、御汁《おつゆ》が駄目なのよ御汁が……もっと他の店や屋台とかの御汁の味を勉強しなきゃあ、あれじゃあねえ」

「同じようなことを私《あっし》も言ったことがあったんだが……ともかくも、古里へ戻って年老いた両親の田畑《でんぱた》を引き継ぐそうだい」

「食《く》い物《もの》商売で江戸で生きていくのは大変なんだねえ。蕎麦にしたって饂飩《うどん》にしたって美味しい店や屋台があちらこちらに沢山《たくさん》あるから余程味について勉強しないと」

「そういうことだい。食い物商売だけじゃあねえよ。屋根葺の仕事だって腕がよくなけりゃあ声はかからねえやな。東奔西走《とうほんせいそう》の久平さんはてえしたもんだい。若《わけ》え職人たちからも信頼されているようだしよ」

「御陰様《おかげさま》でうちの久平は来年の秋まで仕事の予定がびっしり詰まってるよ」

「ここへ来るまでには久平さんも人の倍は頑張ったことだろうよ。色色と勉強したりしてよ。大事にしてやりねえ」

「うん。先生の次にね……」

「私《あっし》は久平さんの次で結構だい。働き者《もん》の亭主《てえしゅ》が第一だよチヨさん」

　と、宗次は笑った。

「だってさあ。亭主《てえしゅ》のくせにいくら揺さぶり求めてもいつも高鼾《たかいびき》で逃げんのさ。もう三月《みつき》以上も私《あたし》のおっぱいに触れてくれないから、私《あたし》ゃあ体の芯《しん》が疼《うず》いて疼いて……ねえ先生ったらん」

　と、甘えた嗄れ声を鼻先から出すチヨだった。

「久平さんは足場を組んだ高《たけ》え所でいつも足を踏み外さねえよう心身を張りつめ、真剣勝負をしてんだよ。半年や一年夫婦の肌の触れ合いなんぞ無くったって、久平さんの頭《あたま》ん中《なか》にゃあいつも愛する女房や子供の笑顔が入ってらあな。よく働くぜえ久平さんはよう。あんなに素晴らしい旦那は、そう多くはいねえやな」

「おや、先生は久平の働き振りを見たことあんの？」

あら、高松藩下屋敷で〝共に働いた〟ことはチヨさんに漏らしてねえのかい、と久平の意外な口の堅さに思わず嬉しくなる宗次であった。

「うん、この近場で仕事をしているところを一、二度見かけてな……おうっと、そのことを言うためにチヨさんにこの空家へ入って貰ったんじゃねえやな。実はよチヨさん」

「なにさ」

チヨは大きな胸を甘えた素振《そぶ》りで宗次の肘《ひじ》に強く押し当てたが宗次にとっては馴れた「毎度の素振り」であったから意に介さず、逆に娘にでも対するようにその丸い肩を軽く抱き寄せるようにして言った。

「この空家をよ、仕事場にでもしようかと考えてんだ。今のままでは狭くってどうにも動きが取れねえんでな」

「あ、いいねえ。仕事場にいいねえ。そうしなよ先生」

「私《あっし》としては仕切り壁を取り除いて往《い》き来できるようにしてえんだが、家の強度に問題が生じはしねえかとちょいと心配でな」

「そりゃあさ、仕事場と生活の場は自由に往き来できた方が楽だし便利でいいさね」

「チヨさんも、そう思うかえ」

「そう思うそう思う。先生は毎日が忙しい体なんだから私《あたし》が今日明日にでも大家さんに掛け合ってやるよ。ね、私《あたし》にさせて頂戴。他の人に頼んじゃ駄目だ」

「チヨさんは大家さんと仲がいいからよ、そいじゃあ面倒かけるがひとつ頼めるかえ」

「先生のためになることなら何でも引き受けるよう。任せなって」

「いつも何かと負担かけているが、そいじゃあ宜《よろ》しく頼まあ。私《あっし》は向こう数日、色色な片付け仕事に追われて長屋を留守にすることが多いかも知れねえんでな」

「あれ、なんだか今日の表情は少し暗いねえ。なんてえたって先生が絵仕事で動く範囲は広いんだからさあ、変な事件になんぞ巻き込まれないでおくれよ。大丈夫？」

「大丈夫でい。用心すらあな。さ、出よう」

「先生も顔は広いけんど、うちの久平だって腕も工夫（センス）もいい大工を大勢知ってっからさ。この空家、絵仕事をし易いよう上手《じょうず》に手を入れた方がいいかも知んないねえ」

「そうよな。そのこともちょいと大家に言ってみてくれるかえ。私《あっし》はこれから行きてえ所があるんでよ」

「うん判った。昼過ぎにでも大家さん宅《ち》を訪ねてみるから」

「すまねえが頼まあ、母さん」

「姉さん、だろ」

宗次は笑って頷き、チヨの肩にのせていた手を優しく背中に下げて促すように表へ出た。

二十二

八軒長屋を出た宗次の足は、常盤橋《ときわばし》御門内の北町奉行所（奉行・島田《しまだ》出雲守忠政《いずものかみただまさ》）へと向かった。

江戸に於《お》ける町奉行所が紆余《うよ》曲折《きょくせつ》を経て定員二名で成立したのは、寛永《かんえい》八年（一六三一）十月で、このとき旗本加々爪《かがつめ》民部少輔忠隆《みんぶのしょうただたか》（五千五百石）が北町奉行に、同じく旗本堀式部《ほりしきぶ》少輔直之《なおゆき》（五千五百石）が南町奉行に任命された。南・北ともに与力二十五騎・同心五十人（時世により増加）の基本的体制が整ったのもこの時期だ。奉行所が私邸から分離独立して別に設けられたのも、この加々爪・堀時代からである。

それ以前は職務分掌の点からも南・北両奉行所体制が明確に整備されていたとは言えず、また隷下《れいか》の組織も与力十騎、同心五十人程度と不充分だった。

ただ加々爪忠隆、堀直之ともに間もなく四千石を加増され九千五百石の万石大名に近い大身旗本となったため、「南・北町奉行」の地位が「二、三千石級中堅旗本の昇進目標」となっていくのは、加々爪・堀以降のことである。

宗次にとって八軒長屋から常盤橋御門内の北町奉行所までは歩き馴れた楽な道《みち》程《のり》だった。お城や大名屋敷を右に見つつ鎌倉河岸をお濠《ほり》に沿って西へ四、五町ばかり進むと、今川堀《いまがわぼり》の掘割口に架かった竜関橋を自然と渡るかたちとなる。

この竜関橋から更にお濠に沿って四、五町ばかり南へ下るとお濠の右手向こうに常盤橋御門が見えてくるが、六大門の一つ大手門に間近なこの常盤橋御門は「追手口」とも称された重要な御門であり、たとえ上様御側役《おそばやく》の大身旗本といえども簡単に往き来できるものではなかった。三万石以上の外様大名の登下城通用門であり、その御門警備（交替制）も二、三万石級の外様大名に対し厳しく義務付けられている。

北町奉行所へは、この外曲輪《そとぐるわ》二十六門の一つである常盤橋御門を潜《くぐ》らなければ行くことが出来ない。

宗次はその常盤橋を当たり前のような足取りで渡りかけたが踏みとどまり、何《なん》時《どき》かを確かめでもするかのように朝空を仰ぎ思案顔を見せた。

「ま、いいかえ。待ってみようぜい」

呟いて宗次は常盤橋御門に背を向けるかたちで、濠端《ほりばた》の大きな松の木にのんびりとした様子でもたれかかった。誰を待つというのであろうか。

南・北両町奉行所は月番交替制で、当番奉行は巳《み》ノ刻《こく》（午前十時頃）に登城し、未《ひつじ》ノ刻（午後二時頃）に下城してから、奉行所で政務処理に当たるのが常である。また町奉行は幕府の最高裁機関である「評定所」の審理構成員を兼務するため相当な激務を覚悟する必要があった。

非番の奉行所は休みではなく、表門を閉じはするが内部では矢張り未処理の政務に当たっている。

町奉行所の与力は月番・非番ともに巳ノ刻出勤、申《さる》ノ刻（午後四時頃）退勤だったが、同心の勤務時間は少し長く辰《たつ》ノ刻（午前八時頃）には出勤し、退勤は与力と同じだった。但《ただ》し、あくまで原則であり事案《じあん》の大小によっては勤務が早まったり、夜遅くにまでなったりは当然ある。

宗次がもたれている松の木の上の方で、烏《からす》が威嚇《いかく》的にひと声鳴き声を張りあげた。

と、常盤橋御門から一人の若侍が左手を刀に触れて橋を渡り出した。険《けわ》しい顔つきだ。背中を向けている宗次は、そうと気付かない。

「おい。そこの町人」

若侍がその若さに似合わぬ野太い声を発したから、それを予想していた訳でもあるまいが宗次は「へい」と慌てることもなく腰を低くして振り向いた。

「お、なんだ宗次殿ではないか。そんな所で人待ち顔でどうしたのだ」

「これは増田《ますだ》様。お久し振りでございやす。いえなに、ちょいとした用で春日町の平造親分を待っているんでござんすよ。几帳面《きちようめん》に毎朝、今頃の刻限に北町奉行所へ顔出しなさる御人でございやすから」

近寄ってきた若侍は西国外様・岩津《いわつ》藩二万八千石の上屋敷詰増田次郎助《じろすけ》二十三歳であった。諸家留守居（江戸留守居の幕府公称）の役にある増田与之助《よのすけ》四十七歳の嫡男であり、一刀流の達者としてかなり知られている。

「平造なら先ほど橋を渡ったわ。遠慮せずとよいから通られよ」

「左様《さよう》でございやしたか。それじゃあ奉行所へ行かせて戴きやしょう」

「うん。それよりも宗次殿……そのまま然り気ない風で聞くんだ」

と、増田次郎助の声が低くなった。

「へい？」という表情を拵えて宗次は相手に片方の耳を少し近付ける態を取った。

「南へ半町ばかり離れた所に両替商があるのを知っておろう」

「むろん存じておりやす。店の手前に大きな桜の木がござんすね」

「その桜の木の陰から顔半分を覗かせて宗次殿をじっと見つめている奴がいる。心当たりはないかね」

「お侍様で？」と訊き返した宗次の脳裏には闇之介の姿が浮かびあがっていた。

「侍だ。身形は悪くない。ここからだと年齢《とし》を推し測《はか》るのはいささか難しいが……何なら私が詰問《きつもん》して参るが」

「めっそうも。増田様は御門警備から離れなすっちゃあいけやせん。なあに、私《あっし》を摑めえて絵仕事を頼もうとする何処かのお旗本でございやしょう。心配いりやせん」

と答えた宗次であったが、両替商の方角へは振り向かなかった。

実は桜の木陰に潜《ひそ》んでいた侍は、闇之介ではなかったのである。闇之介と同じくらいか、それ以上に厄介《やっかい》な恐ろしい相手であった。

「じゃあ増田様。通らせて戴きやす」

増田次郎助は頷き、宗次と肩を並べて歩き出した。

「この前も申したように宗次殿。愛宕下天徳寺《てんとくじ》の大金堂で催《もよお》された『宗次画三十点』を観させて貰《もろ》うた我が父与之助がいたく感動し、何としても宗次殿の絵を上屋敷の書院襖《しょいんぶすま》に欲しいと願《ねご》うておるのだ。なるべく早い内に父と会う機会を作ってやって下され」

「勿体《もったい》ないお言葉でございやす。御留守居役様にお伝え下さいまし。必ず遠くない内にお訪ね申し上げやすので、いま暫《しば》し雑用が片付くのをお待ち下さいやし、と」

「そうか。うん」と、増田が頷いて微笑《ほほえ》んだ。

「ところで増田様。藩対抗御前試合が近近あるとの噂を耳に致しやしたが、岩津藩は当然増田様が代表で……」

「ああ、私ともう一人が代表で出る。剣術に関心があるなら父に頼んで招待の手続きを踏んでもよいぞ宗次殿」

「いえいえ、私《あっし》には剣術は判りやせん。どうか頑張って下さいやし。勝って戴かなくちゃあなりやせんよ増田様」

「勝つよ。必ずな。宗次殿が見に来てくれると元気が出るのだが……」

と、増田次郎助がまた目を細めて微笑んだ。

先月、愛宕下天徳寺の大金堂で催された「宗次画三十点」は、天徳寺を菩提寺とする大身旗本家が音頭を取って実施されたもので、花鳥風月を画題とした浮世絵の業《わざ》を用いての小襖絵が中心だった。宗次の襖絵に惚れ込んで長い付き合いとなるその大身旗本家が、自身の信用で宗次の小襖絵三十余点を武家や寺院、商家などから借り集めて展示したものである。

これは大反響を呼び、以来宗次のところへは小襖絵の依頼が大名家、商家などから引きも切らず殺到していた。

「それでは増田様。御留守居役様に宜しくお伝え下さいやし」

「うん、伝えておく。我々の付き合いが始まった場所でもある居酒屋『しのぶ』で近い内にまた楽しく一杯やろうではないか」

「へい、喜んで。お声かけ下さいやし」

「うん。私の方から声をかけよう」

増田次郎助は御門警備の顔つきに戻り、宗次は目と鼻の先にある北町奉行所へと足を急がせた。両替商の方へは振り向きもしない。

岩津藩諸家留守居の役にある増田与之助を訪ねるのは身辺が落ち着いてからになるな、と考える宗次であった。

諸家留守居の役とは、藩の「高級外交官」の立場にあって家老から数え三、四番目あたりに位置付けされる要職だった。具体的には、幕府や他藩との交渉や諸事連絡、重要な来客の接待、幕閣への稟議《りんぎ》書や諸書類の提出、幕府や他藩の機密情報の隠密的収集、などである。

こうした仕事柄、藩によってだが「聞番《ききばん》」という呼び方も存在した。

宗次の足が北町奉行所表門の手前で止まった。

「おや、宗次先生じゃござんせんか」

六尺棒を手にした中年の門番が宗次に気付いて表門下から通りへ一歩二歩と出てきた。

「おはようございやす。春日町の平造親分に急ぎ頼みてえ事があって訪ねて参りやした」

「平造親分ならつい先程、見えやしたよ。さ、入んなせえ先生」

「ありがとうござんす。そいじゃあ通らせて戴きやす。へい」

「おいおい宗次先生、どしたんだえ。今朝はまた薄気味悪いくれえ遠慮するじゃねえか。宗次先生にゃあお奉行島田出雲守様も、出入り自由勝手よし、の御墨付《おすみつき》を下さっているんだ。ささ、入んねい」

「そいじゃあ……」

宗次は門番に丁寧に頭を下げて案外に質素な造りの長屋式表門を潜った。大名屋敷でも旗本屋敷でもそうだが、門番や小者に優しく柔らかく接することがいかに大事かをよく心得ている宗次である。そしてこれは文武の師である今は亡き養父《ちち》梁伊対馬守の厳しい教えでもあった。「下下《しもじも》の者を慈《いつく》しむ精神《こころ》を忘れてはならぬ」「ひとの出自《しゆつじ》の悲しい宿命《さだめ》を嘲笑《あざわら》うような思い上がりがあってはならぬ」と。

表門から正面の玄関式台までは、幅凡そ三間《さんげん》ほどに亘《わた》って真っ直ぐに御影石《みかげいし》が敷き詰められていた。

その石畳の中程あたりまで宗次が進んだとき、玄関の右手「次の間」と心得ている所から、春日町の平造親分がかなり難《むつか》しい顔つきでひょっこりと現われた。

「これは親分……」

「なんだ宗次先生じゃねえですかい。どしたんです、こんなに朝早く奉行所へ……」

「親分と飯田次五郎様にちょいと大事なお願いをしてえと思いやして」

「飯田様はたった今、与力の旦那と御登城前の御奉行に呼ばれなすってな。何やら打ち合わせをなすっておられる。俺だけじゃあ駄目ですかえ先生」

「親分に会いたくて訪ねてきたようなものでござんすよ。が、玄関へ向かう通路で立ち話という訳にゃあ」

「ひょっとして、明神館事件と大月定安邸事件に関してですかえ」

「その通りで……」

「そいつあ大事だ。じゃあ物置を借りやしょうかえ。こちらへ来なせえ先生」

平造は頷いて宗次を促した。

北町奉行所は表門を入って直ぐ左手が仮牢(留置場)と並ぶ「牢屋同心詰所」となっており、右手が「同心詰所」だった。

平造は同心詰所の前を通り、勝手知ったる庭先へと入っていった。なにしろ奉行島田出雲守から紫の房付き十手を下賜《かし》された辣腕《らつわん》目明し平造だ。庭内を自由に歩き回ることぐらいでは誰にも注意される心配はない。

「ここなら誰の目にも触れねえ」

二人は物置小屋へと入っていった。

櫺子窓《れんじまど》が備わった暗くはない、よく整理された物置小屋で二人は向き合った。

「で？……」

「へい。実は親分、今から私《あつし》が申し上げることは全く私の勝手な推量でござんして……」

「ま、ま、それはいいやな。とにかく話してみなせえよ」

「明神館事件および大月定安邸事件は、そのよく似た残酷さから私《あつし》は一本の糸、いや、二本か三本かも知れやせんが、ともかく同じ色の糸でつながった事件じゃねえかと考えておりやす」

「なに。同じ色の糸で……とな」

「へい。しかもこの二つの事件は単なる諍《いさか》いや集団による押し込み強盗といったものではねえ、と私《あつし》は睨《にら》んでおりやす。ただ親分、これは明快な根拠があって申し上げる事じゃあなく……」

「ま、ま、だから、それはいいって事よ。とにかく話を進めてくんねえ先生」

「私《あつし》はこの二つの事件の背後には、大きく強力な組織の蠢《うごめ》きが潜んでいるような気がしてならねえんで」

「強力な組織？」

「それも、その蠢き具合によっちゃあ合戦の糸口になりかねねえような……」

「なんですってい先生。そんなに大きな力を持った組織が二つの事件の背後に潜んでいるかも知れねえっと仰るんで？」

「十中八九《じゅっちゅうはっく》、私《あつし》のこの推量は当たっているような気がしてなりやせん。そこで親分、次のことを飯田次五郎様にお願いして戴けやせんか」

「言ってみなせえ。先生の仰ることだ。飯田様も真剣に耳を傾けて下さいやしょうよ」

「お訊ね致しやすが、真明一刀流の剣客としても人品骨柄いやしからぬ学藝《がくげい》の人としてもその名を知られた滝澤蔵之助先生はおそらく何処その藩の御出身と思われやす。立派な道場や住居《すまい》を拝見しやしても、侍ひとりの資力ではあれほどのものはなかなか調えられるものではござんせん。おそらく誰ぞの援助があったものと思われやす。そこのところのお調べは進んでおりやすので？」

「無茶を言わねえでおくんなせえ先生。事件が起こってまだ日は浅《あせ》えんだ。今はとにかく下手人のポツンとした臭いだけでも突き止めてえと、そっちの方に力を注いでんだ。だから、立派な人物として知られた滝澤蔵之助先生についちゃあ、正確な御年齢《おとし》だって申し訳ねえがまだ判っちゃあいやせんよ」

「じゃあ、徳川様の親藩である高松藩十二万石の藩校教授大月定安先生についても同じでござんすね」

「同じでえ……人が足りねえんだよ先生。このだだっ広い大江戸をですぜい、南北両奉行所が交替で月番してんだ。しかもだよ、与力同心の数だって不足どころじゃねえってのによ」

「親分、声が……ここは御奉行所でござんす」

「構うもんけえ。南北両奉行所が同時に動いたって、とうてい足らねえ与力同心の数なのによ、月番制ときてやがる。幕閣の御偉方は本当に江戸事情ってえのをきちんと把握していなさるのかねえ」

「親分の気持は判らねえでもありやせんが」

「なあ先生よ。たとえば城中の警護に当たっていらっしゃる書院番の方々には、江戸市中の巡回も義務付けられてるらしいじゃねえですかい。それなら私《あつし》らの仕事を少しは手伝って貰いてえもんだ」

「いや、書院番士の江戸市中巡回てえのは、政治《まつりごと》的な不安、思想的な不安が何処ぞで芽を出しちゃあいねえかと高い位置から見回っているのだと思いやすよ。三百石取り以上の旗本がほとんどだと伝えられておりやす書院番士が町方《まちかた》の仕事に手出し口出し致しやすとおそらく飯田様や親分は大層動き難《にく》くなりやしょう」

言ってから宗次は、今回の事件がもし幕閣を揺るがしかねない事態になると、町奉行所の手には負えなくなるかも知れない、と思った。

「そりゃあ言えるねえ。いずれにしてもよう、絵仕事で忙しい宗次先生の手を借りずに済むように、与力同心の数をもっと増やして貰いてえよ。下《した》っ端《ぱ》の私《あつし》らが泣き言を並べても仕方がねえが、ともかく判ったよ先生。滝澤蔵之助先生と大月定安先生についちゃあ、事務方の手を借りてでも調べを進めるよう飯田様に頼んでみやしょう」

「その結果を必ず聞かせてくんない親分」

「うん、必ずな。さ、もう出やしょうかえ」

促されて宗次は自分から先に物置から出た。

平造親分が宗次を見送ろうとして表門の手前まで行ったとき、背後から「おい、平造……」と声がかかって、二人ともほとんど同時に振り返った。

意外に早く御奉行との打ち合わせを終えたらしく、筆頭同心飯田次五郎が玄関式台に立ってこちらを見ていた。

「お、宗次先生じゃねえか。二人ともこっちへ来ねえ」

と、軽く手招いてみせる飯田筆頭同心に、宗次は黙って丁寧に腰を折ってから、平造親分と肩を並べて玄関へ向かった。

「どしたんでえ先生。例の事件のことで何ぞ判ったのかえ」

訊ねる飯田筆頭同心に、平造親分が口を開いた。

「飯田様、宗次先生から聞かせて貰いやした話についちゃあ大事な部分が四つや五つじゃやござんせんから、後《のち》ほど私《あつし》からお話し申し上げやすので」

「そうかえ、判った。いつも手を貸してくれてすまねえな先生。恩にきやす」

「とんでもありやせん。私《あっし》は飯田様や平造親分のお人柄を気に入っておりやすんで、お手伝いできることをむしろ有難く思っておりやすよ。お気遣いは無用になすっておくんなせえ」

「そうかえ。そう言ってくれると嬉しいやな。先程もな、御奉行と打ち合わせをしていて、宗次先生のことが話題になってよ……おっと、忘れぬ内に渡しておこうかえ。ちょっと待っていておくんない」

飯田次五郎はそう言うと、玄関の左斜めの方へと消えていった。

「何だろねい。先生に渡してえ物ってえのは」と、平造親分が首を傾《かし》げる。

飯田同心は直ぐに戻って来たが、その右手には黒鞘白柄《くろさやしろつか》の大刀を持っていた。

「これは御奉行島田様の御用佩刀《ごようはいとう》なんだがよう。宗次先生に頼んで浅草は三味線《しゃみせん》堀《ぼり》のほれ……先生とは何故か昔馴染みと聞かされている、『対馬屋《つしまや》』だ。その対馬屋へ研《と》ぎに出してほしいと御奉行が仰っているんだ」

御用佩刀とは出役出陣の時に特に愛刀の中から選び定めて腰に帯びる刀（大刀）のことである。

「承《うけたまわ》りました。ちょいと抜身を拝見させて戴きやす」

「うむ」

「玄関先で鞘を払っても宜しゅうござんすか」

「構わんよ、許す」

「へい。そいじゃあ……」

飯田から黒鞘白柄の大刀を受け取った途端、宗次の表情に僅かな動きが生じた。

宗次が鞘を払わぬまま飯田と目を合わせて静かに言い切った。

「随分と重うござんすね。銘はございますので？」

「先生にはもう何てえ刀かは判っているんじゃねえの」

「滅相《めっそう》も。町人の私《あっし》には判る筈もありやせんよ。五郎入道正宗《ごろうにゅうどうまさむね》とかいう、とてつもなく有名な名刀の名前《なめえ》くれえは知っておりやすが」

「ま、いいやな。とにかく抜身を確かめた上で、対馬屋へ研ぎに出してくんねえ」

「へい。そいじゃあ」

宗次には、刀を手渡された瞬間から、普通でないその重さで刀の銘は読めていた。

宗次が静かに鞘を払うと、平造親分が気を利かせてその鞘を受け取った。

「綺麗な刃でございやすね。私《あっし》のような素人目《しろうとめ》にも刃毀《はこぼ》れ一つ無いように見えやすが、対馬屋に念入りに検《み》て戴きやしょう。これより行って参《めえ》りやす」

「そうかえ。べつに慌てなくっていいんだぜ。御奉行は七日後でも十日後でも、とにかく先生に預けておいていいと仰ってる。宜しく頼んだぜい」

「承知いたしやした。それから飯田様。対馬屋を訪ねます途中で『明神館』か大月定安邸をちょいと検《み》せて戴く訳には参りやせんか。事件についてお手伝いさせて戴くにしても、是非ともどちらかをゆっくり検てみてえと思っておりやすが」

「大月定安邸はすでに事実上、高松藩の管理下に入って幾人かの藩士が詰めておるんでな。出入り出来ねえ事はねえんだが手続きも要《い》る。けんど、『明神館』なら表門は閉じてあるが、裏口の門は外してあるんで、検《み》て貰っても結構だい。な、平造よ」

「へい。私《あっし》の手下《てか》が三人、昼夜交替で見回りに立ち入っておりやすだけで、いずれも先生顔見知りの連中でござんす。飯田様の御許しも出やしたから、どうぞ得心のいくまで検《み》なさるといい」

「そうですかい。それじゃ立ち寄らせて戴きやしょう」

宗次は頷いて刀を鞘に納めると「失礼いたしやす」と、飯田と平造の前から離れて表門へ向かった。

体を半身にして宗次の背中を見送る平造が、飯田に囁《ささや》いた。

「それにしても飯田様。御用佩刀の研ぎを御奉行様がわざわざ町人に……いや、宗次先生に依頼なさるなんてえのはどうも不自然な……あの刀は本当に御奉行様の御用佩刀なんで？」

「本当だ」と飯田も小声で応じた。

「対馬屋ってえのは、私《あっし》は初耳でござんすが」

「いつの事件だったか儂が下手人の浪人と激しく渡り合って手傷を負ったことがあったろう。あれでボロボロになった刀の刃毀れを、宗次先生が綺麗に元通りにしてくれたんだい。三味線堀の対馬屋とかに頼んでくれてな」

「そうでございやしたか。で、その対馬屋とかへは飯田様は直接ご自分の足で出向かれたことはございませんので？」

「ない。宗次先生が対馬屋について多くを語りたがらねえ様子だったんで余り立ち入ってはならねえと思ってな。対馬屋のその見事な研ぎ業《わざ》についちゃあ御奉行へ打ち明けはしたが」

「なある。それで良《よう》ございますよ。お互い余り立ち入らねえよう配慮してあげやしょう。……にしても、刃毀れの無さそうな御用佩刀を宗次先生に預けて研ぎに出されるとは……それも仕上がりは七日後でも十日後でも、とにかく慌てねえからというのは、どうも妙でございやすね」

「なあ平造よ」

「へい」

「儂はな、此度の事件についておそらく積極的に手伝ってくれるであろう宗次先生の身によ、なんだか危険なことが降りかかりそうな気がしてならねえんだ。不吉な予感がしてよ」

「実は、私《あっし》も同じ思いなんでござんすよ」

「それで御奉行に先程その心配を申し上げるとな。ならば私の御用佩刀を宗次先生に預けてみようか、と仰ったのだ。宗次先生の北町奉行所に対《てえ》するこれ迄の大きな貢献からみて、ひょっとすると宗次先生は訳あって身分素姓を伏せておられる侍かも知れねえ、と御奉行は考えておられる。それでな、侍ならば降りかかる炎《ひ》の粉《こ》は自分で打ち払えるよう、ひとつ御用佩刀を試みに預けてみようという事になったのだ」

「それでようやく話の筋が通りやしたよ。私《あつし》も宗次先生は、どうも当たり前の町人にゃあ見えねえ、と思っておりやしたんで」

二人が小声の会話を締め括《くく》ったとき、宗次の姿はすでに二人の視界からは消えさっていた。

常盤橋御門内の北町奉行所から「明神館」までは、市内所所《しょしょ》の近道や裏道に詳しい宗次にとっては苦もなく辿れる近さであった。神田の職人街の裏小路を北に向けて器用に通り抜け、大外濠川《おおそとぼりがわ》（神田川）に架かった昌平橋《しょうへいばし》を渡って川沿いの柳並木に隠れるようにして鼻歌《はなうた》まじりで遡《さかのぼ》ると牛込御門前神楽坂だ。ここから料亭「夢座敷」までは目と鼻の先であり、「明神館」までも間近である。

人通りの少ない路地裏を選び選びしながら、宗次は「明神館」へと次第に近付いていった。なにしろこの界隈では宗次の顔を知らない者はいないと言っても大《おお》袈裟《げさ》ではなかったから、目立たないようにするには路地選びにも工夫が要《い》った。なにしろ腰には北町奉行の御用佩刀を帯びているのだ。

「あら宗次先生どしたのさあ、その腰の刀……」などと宵待ち草《よいまぐさ》の姐《ねえ》さんや女将《かあ》さんたちの目にうっかりとまると応じるのが面倒となる。

が、朝の早さが宗次に幸いした。宵待ち草の姐さんや女将さんたちの目覚めは遅い。

「明神館」の前まで来て、宗次は裏口がある北側の路地へ素早く回り込んだ。

幅一間《けん》とない路地を挟むかたちで寺の土塀が長く続いている。人の通りは全く無く、「明神館」へ侵入するにしても不意打ちを仕掛けるにしても、恰好《かっこう》の路地と言えた。

宗次は腰の御用佩刀の鍔際《つばぎわ》に左手を軽く触れ、右手を「明神館」の裏木戸へと持っていった。腰の御用佩刀が、その重さ、その拵えの特徴などから「おそらく同田貫《どうたぬき》」との見当はついていた。それも「同田貫正国《まさくに》であろう」と。

宗次の右手が裏木戸を用心深く静かに押した。

ギッと一度だけ小さく軋んで、裏木戸がそろりと開き始める。

と、その動作を何故かふっと休めた宗次の目が、自分の足元に集中した。

べつに足元を「見ている」訳ではなかった。何かを感じたのか、裏木戸の向こうへ神経を集中させている風であった。しかも左手の親指の先はすでに鍔押しの様《さま》を見せている。

鯉口《こいぐち》を切るつもりなのか。

が、しかし、裏木戸は再びそろりと開き始め、宗次の左手も鍔際から離れた。

同田貫鍛冶は豊臣（秀吉）期から徳川（家康）期にかけて、肥後国《ひごのくに》（熊本県）菊池川《きくちがわ》流域の玉名《たまな》郡同田貫村を拠点に栄えた実戦的剛刀《ごうとう》を鍛造《たんぞう》することで知られた古刀派の一門である。

同田貫清国《きよくに》および正国（旧名・上野介《こうずけのすけ》）を双璧《そうへき》とする刀工集団であったが、宗次が腰の御用佩刀を「同田貫正国であろう」と推測したのは、「正国は同田貫正国と刀銘を切ったが清国は切らない」事を学び知っていたからだ。

江戸の町奉行島田出雲守様ほどの御人《おひと》が刀銘無き御用佩刀を所持する筈がない、と読み切っていた。

裏木戸がそろりそろりと開き幅を次第に広げてゆく。平造親分の手下三人が交替で見回りに立ち寄ってもいるこの道場に対し、宗次の用心深さは何やら只事ではなかった。

左手はまたしても鯉口に触れている。

同田貫一門を支援したのは、肥後国の領主で武断派の武将としても築城技術の名手としても知られた加藤清正《かとうきよまさ》（永禄《えいろく》五年・一五六二〜慶長《けいちょう》十六年・一六一一）であった。同田貫の豪壮極まりない拵《こしら》え、唸《うな》るような凄まじい斬れ味などをいたく気に入った加藤清正は、上野介に正の一字を与えて同田貫正国と名乗らせたのだった。

裏木戸が開き切って、朝日が降り注ぐ明るい庭が宗次の目の前に広がった。はじめて目にする剣客滝澤蔵之助邸の秋の花が豊かに咲き誇っている庭であった。

宗次は庭の左手から右手へ、手前から奥へと視線を流してゆきつつ、庭先へ一歩入り、裏木戸を静かに音立てぬよう閉じた。

全ての雨戸を閉ざしている正面の建物は住居《すまい》であろうと見当がついた。

惨劇の生じた朝に訪れている道場の方へ、宗次は足を向けた。

小さな足音ひとつさえ立てない用心深さであった。

宗次の胸の内側では、実は先程からひとりの人物がざわめき始めていた。

闇之介である。

（間違《まちげ》えなく、この浮世絵師殿は闇之介を恐れていなさる……）

声にならぬ呟きを漏らして、思わず「ふん」と鼻を鳴らし眉間《みけん》に皺《しわ》を刻んでしまった宗次であった。

宗次は玄関式台へ回ると、雪駄を脱ぎかけてちょっと考え込む様子を見せ、結局、脱ぐこともなくそのまま式台へ上がった。

そこからの宗次は一層用心深い足運びを見せた。床板を軋み鳴らさないためであろう、床が最も強いとされる廊下の壁際へと体を寄せて、ゆっくりと歩んだ。

不意にどこから、いつ現われるか知れない闇之介を、それほど恐れているということなのであろうか。

流された無残な惨劇の血はすでに乾き切ったか拭き清められたのではと思われるのに、ヌルリとした特有の生臭い匂《にお》いはまだ宗次の嗅覚に感じられた。

道場の前まで来て、宗次は胸の内で「チッ」と音無き舌打ちを放った。

平造の手下がそうしたのか、それとも北町奉行所の役人がそうしたのか、道場入口の引き戸は閉ざされていた。

向こう側に何が待ち構えているか知れない「閉じられた戸」を開けるのは、宗次ほどの者にとっても極めて危険であった。

が、惨劇の現場を具《つぶさ》に検《み》る決意で訪れた宗次である。

宗次の手が引き戸に触れて、その動きが静止した。

ひと呼吸、ふた呼吸、み呼吸……険しい目つきで引き戸の向こうへ全神経を放った宗次は、左手を同田貫の鯉口へ持っていった。

引き戸が、勢いをつけて開けられ、戸柱に当たってビシャンと大きな音を立てる。

その音が道場内に反響して消える迄のごく僅かな間に、宗次の足は三歩、道場内へ滑り込んでいた。

櫺子窓のところどころが開いていて、不充分ではない道場の明るさだった。

道場の中央あたりが〝不自然な艶《つや》〟を見せている。惨劇の血は乾き切ってはいたが拭き清められてはいなかったのだ。

宗次は、その不自然な艶――剣客滝澤蔵之助が斬殺された位置――へゆっくりと歩み寄った。左手はまだ腰の同田貫から離れないままである。

宗次の歩みが、不忍池に似た形を描いている不自然な艶に雪駄の先が触れそうなところで止まった。

次の瞬間、ダンダンダンダンという鼓膜を破らんばかりの大音が宗次の背後から襲いかかり、ほとんど反射的に同田貫を抜刀した宗次は振り向きざま凡そ二間を跳躍していた。

「なんと……」

宗次は愕然として呻いた。見忘れようとしても見忘れられない、しかし予想だにしていなかったひとりの侍が、道場神棚の下、監覧式台に抜刀して仁王立《におうだ》ちとなっていた。激しい怒りの形相である。

目黒養安院の花畑を踏み荒した大名の幼君と覚しき千代丸の臣「文之助」なる侍であった。

「ようやく出会《でお》うたか。貴様《おのれ》は許さぬ。我が幼若を愚弄《ぐろう》せし貴様《おのれ》だけは許さぬ。たとえ御方様が御許しを認められようとも、この麻倉文之助義統《よしむね》が許さぬ」

はじめて姓名、それも僧正相念から聞かされていた二百年前の人物の名を名乗った相手に、宗次は慄然《りつぜん》となった。

それよりも何よりも、『許さぬ』と怒りの言葉を叩きつけたいのは宗次の方であった。浮世絵師にとって命とも言うべき大事な顔料《がんりょう》の花畑を踏み荒されたのだ。

「斬るっ」と言葉を放って、麻倉文之助が一段高い式台から下り、ダンッと床を踏み鳴らした。わなわなと唇を震わせている。

なんという荒荒しさであろうか。双《ふた》つの眼《まなこ》は充血しているのか真っ赤であった。鬼だ、と感じながらも宗次は言葉を返した。

「やってみねえ」

宗次は真っ赤な相手の目を見据えた。

同田貫を握りしめる手に汗が噴き出していた。

二十三

宗次と麻倉文之助義統は道場中央で向き合った。

宗次は同田貫正国を正眼に構えたが、相手はまたしても床板をダンダンと激しく踏み鳴らし右手に刀、左手は握り拳の仁王立ちだ。背丈は宗次と殆ど変わらず双つの眼をめらめらと燃え上がらせている。その目つきがこれまた只事《ただごと》でない。両目尻が跳ね上がっている。

その凄まじい荒荒しさに宗次は正眼のまま思わず一歩を退《さ》がった。

(此奴《こやつ》は実像か、それとも虚像か……相念老師の話では麻倉文之助は二百年も昔の人間のはず)

そう考える宗次をまるで侮《あなど》るかの如《ごと》く文之助は右足を高高と上げ、床板に叩きつけた。床板は軋《きし》み、その大音響は道場の天井を震わせ、宗次は更に一歩を退がった。

麻倉文之助義統はここでようやく己れを静かにさせ、ひと呼吸をしてからゆっくりと右足を下げ左膝を軽く「くの字」とした。と同時に右手にしていた刀の柄《つか》に左手を運び、「右後方下段」という流麗な構えを取った。

(なんと……)

と、宗次は衝撃を受け息をのんだ。それは、二百年前の幻想《げんそう》時代から訪れたかも知れぬ麻倉文之助が得られる筈《はず》のない構え、と宗次には容易《たやす》く判った。徳川将軍家の「御止《おと》め流《りゅう》」と称されている柳生新陰流一刀両断《やぎゅうしんかげりゅういっとうりょうだん》の構《かま》え、「三学円之太《さんがくえんのた》刀《ち》・車《しゃ》」であったのだ。

文之助が、ずいっと一歩踏み出してやや半身《はんみ》構えとなり、宗次は間合いを縮《ちぢ》めてはならぬと小幅で二歩を退がった。圧倒されている自分が見えていた。早くも息苦しさを覚えてもいた。

(なんたる凄み……)

と宗次が舌を巻いたのを読んだのかどうか、文之助がそれまで〝天〟に向けていた刃を不意に〝地〟に返した。それは威嚇《いかく》的にわざとしたのであろう、刀の柄と掌《てのひら》がこすれバシャッと甲高《かんだか》い音がして宗次の切っ先が小さく震える。

だが宗次は、続けて第二の大きな衝撃に見舞われていた。刃を天地逆に返した文之助の刀に注目した宗次の顔にたちまち驚きが広がった。

当たり前の驚きの様ではなかった。口元を歪《ゆが》めさえしている。

双方の間合いは凡《およ》そ一間半。やや半身構えの文之助の太刀が宗次には極めてよく見えていた。身幅が広くて重ねが厚い浅反《あさぞ》りの広直刃《ひろすぐは》であった。しかも剛直で無骨な艶《つや》を放っている。

見誤ろう筈のない同田貫だった。同田貫一門の双璧として知られた「清国」か「正国」かまではさすがに宗次の位置からは看破《かんぱ》できなかったが「見事な特徴ある造り」でそうと判った。

（此奴は新陰流の奥義《おうぎ》を極めている……間違いなく）

そう思って宗次は生唾《なまつば》をのみ込んだ。かつてない恐ろしい相手だった。

柳生新陰流の刀法は「三学円之太刀」「燕尾《えんび》之太刀」「九箇《きゅうこ》之太刀」を核として構成されており、なかでも「三学円之太刀」は一刀両断・斬釘截鉄《ざんていせってつ》・半開半向《はんかいはんこう》・右旋左転《うせんさてん》・長短一味《ちょうたんいちみ》の五法で組まれ最右翼に位置づけされていた。これらは全て禅とつながる重い言葉である。

「貴様《きさま》。ただの町人ではないと最初《はじめ》の出会いよりみていたが、矢張りな……」

言い終えて文之助は歯を砕き折らんばかりに噛み鳴らした。そして白い小さな粒を「ぺっ」と吐き出す。

「明神館」の皆伝級高弟たちを悉《ことごと》く薙《な》ぎ倒したのはこの怒濤《どとう》の如《ごと》き〝激情〟だ、と宗次は確信した。

その確信が宗次の膝頭《ひざがしら》を、ぶるっと一度だけだが大きく震わせる。

文之助の表情がとまり、宗次の表情もとまって、欞子窓《れんじまど》のすぐ外で烏《からす》が怒り狂ったように鳴き叫んだ。

その瞬間だった。

文之助がダンッと床を踏み鳴らし「車《しゃ》」の位《くらい》(構え)を微塵《みじん》も変えず崩さず、稲妻《いなずま》となって一気に間合いを詰めた。

宗次が同時に反射的と言っていい素早さで退がる。

だが稲妻はそのまま矢のような速さで切っ先を繰り出し、宗次の両小手の上で鋭い輝きを発するや翻《ひるがえ》った。

それを右へ打ち払おうとする宗次の同田貫正国よりも遥《はる》かに速い。いや、猛烈に速い。比較にならない。

宗次の両小手から血玉が飛び散り、「うッ」と顔を歪めて脚がもつれる。

その一瞬を見逃す筈のない文之助が宙に躍《おど》った。その両脚を断ち切らんとして宗次の同田貫正国が右から左へと横に走る。

だが刃は空《くう》を切って、ただでさえ脚がもつれていた宗次の上体が、同田貫正国に引っ張られるように左へ泳いだ。

文之助の同田貫がヴァッと〝気〟を鳴らし震わせ、上体乱れた宗次の首へ打ち下ろされた。

上体を右へ戻しかけた宗次の同田貫正国が辛《かろ》うじて受ける。鋼《はがね》と鋼が打ち合い、耳に痛い黄色く鋭い音と共に、青白い火花が四散した。

構わず文之助が二撃、三撃と宗次の首を狙《ねら》って打った。また打った。

同田貫対同田貫の、名状し難い激突音。

眦《まなじり》を吊り上げ必死に敵の刃を受ける宗次の左膝が、五撃目を受けてがっくりとくの字に折れる。

両小手から赤い花火となって飛び散る血玉。

五撃を防ぎ止められて文之助がひらりと飛び退がった。左膝をくの字に折った宗次を倒す絶好の機会ではなかったのか。

宗次がゆっくりと立ち上がった。懸命に文之助の同田貫を受けていたそれ迄の辛《つら》そうな表情が、〝無の表情〟へとなりつつあるかのようだった。

それに対する文之助の形相《ぎょうそう》は怒り狂った様《さま》を消しておらず、肩を波打たせ大きな呼吸《いき》をしている。

「なんてえ力だい……まるで関取《せきとり》に鉄棒《かなぼう》を持たせたみたいだねい」

表情を沈めつつ穏《おだ》やかに漏らす宗次であった。

「………」

「柳生新陰流とみやしたが、それだけじゃあねえ。山にでも籠《こも》って巨木相手に立木《たちき》打ちの業《わざ》を磨《みが》いてきやしたね……恐ろしい御人《おひと》だ、あんたはよ」

言い終えて宗次はそっと生唾をのみ込んだ。本当に「恐ろしい……」と思っていたのであろう。言った言葉に、誇張の響きは皆無であった。

と、ひと言も答えぬまま文之助が小幅で二歩を退がり、宗次の目を睨《にら》みつけながら左手で小刀を抜き放った。これは意外にも細身《ほそみ》。

そして同田貫の大刀を右片手大上段に、細身の小刀を目の高さ右斜め八双《はっそう》とする新陰流「虎乱《こらん》」の位《くらい》に入った。

(見事なり天狗抄《てんぐしょう》……)と声なく胸の内で発した宗次は圧されてたじたじと三歩を退がって中段で構え、文之助は「くわっ」とした目つきで一気に三歩を詰めた。

文之助の豪壮極まりなく見える「虎乱」の位に対し、宗次がとった中段は余りにも「凡庸《ぼんよう》ならざる構え」とは言い難く思われた。

新陰流の二刀をもってなる天狗抄「虎乱」の位は、流祖上泉《こういずみ》伊勢守《いせのかみ》秀綱《ひでつな》（生没年不詳）より「柳生剣の大祖」として新陰流の継承を許された柳生石舟斎《せきしゅうさい》宗厳《むねよし》（大《だい》永《えい》七年・一五二七〜慶長十一年・一六〇六）が創始の業と伝えられている。

「いやあっ」

文之助がはじめて気合いを発した。いや、それは気合いというよりは雷鳴かと覚《おぼ》しき怒声であった。そして床板をズダン、ダンッと踏み鳴らす。

激情は頂点に達し、血は煮《に》えくり返って全身を駆け巡っているかに思われた。双つの目は真っ赤な灼熱《しゃくねつ》色だ。

両小手から糸のような血の流れが止まらぬ宗次は、「聞こえる」と錯覚した。文之助の全身を駆け巡る沸騰した血の音がまぎれもなく聞こえたように思った。

突然「ぬんっ」と、文之助の体が前へ滑《すべ》った。動いたのではなく滑った。信じ難い疾風《はやて》の速さであった。

この時にはもう文之助の同田貫は地響きのような轟音を発し、またしても宗次の小手を狙い叩き下ろされていた。斬り下ろすというよりは、まさに鉄棒《かなぼう》で殴り下ろすが如き激情剣法。

宗次の左小手が悲鳴を上げて骨肉を撒《ま》き散らし、「ぐわっ」と五尺七寸余が横転した。

と、思われたが文之助の同田貫はその左小手寸前で止まり、それを打ち払わんとして「左振り」の動作をとった宗次の右肘《ひじ》を小刀がサクッと突いた。

大小刀ほとんど同時の、目にもとまらぬ早業《はやわざ》。

「うっ」と顔を歪めてよろめき退がる宗次の右肘創穴《そうけつ》より激しく血が噴《ふ》き出す。

逃がさじ、と文之助が間合いを詰めて更に小刀で斬りかかると見せ、この時にはもう右手の同田貫が宗次の左腹《ひだりばら》へ閃光《せんこう》と化し打ち込まれていた。

右片腕だけで重い同田貫を変幻自在《へんげんじざい》に操る文之助の凄まじい剛力《ごうりき》。

この打ち込みを読み切っていた宗次の同田貫正国が、左腹手前で文之助の〝変幻自在〟業を峰で受けた。

ガチンッという鋼同士の猛烈な激突音。飛び散る火花の中、白く煌《きらめ》き跳ねる粉塵《ふんじん》と覚《おぼ》しきは、刃が欠けたか峰が欠けたか。

〝必殺〟をがっちりと防禦され文之助の憤怒が一層のこと荒れ狂う。

宗次に次の身構えをさせぬ、とばかり面、小手、面、小手、面、小手と剛腕の片手業で大小刀交互の乱打。それはさながら狙いを外さぬ鍛え抜かれた狂気であった。

その正確無比な狂気の乱打を宗次が退がりながら受ける、また受ける。その度に右肘創穴より宙に舞い上がる赤い飛沫《しぶき》。

「おのれえっ」

苛立《いらだ》ちを破裂させた文之助が小刀を足元に投げ捨て、小幅に二歩を退がって同田貫の柄を両手で持ち正眼に構えた。肩と胸を大きく波打たせて呼吸《いき》を乱し、赤眼《せきがん》をギラギラさせている。今にも血の糸をしたたり落としそうな不気味な赤眼。

ようやく訪れた小さな、それこそ小さな寸暇のなか、宗次はひと呼吸《いき》しつつ同田貫正国を右の肩にのせ、右足を軽く引き腰をこれも軽く下げた。

刃は天に向け、なんと左片手の身構え。

傷つき血を噴き垂らしている右腕は、関心なさ気にダラリと下げたままである。

「さ、もっと見せてくんねえ。戦国時代の荒武者剣法をよ」

宗次が呟いた。充分に相手に届く呟きだった。

「剣士なら名乗れい。貴様は何者じゃ。そして剣の流儀は？」

「それよりもお前《めえ》さん。も一度訊《き》きてえ。何の理由《わけ》あって私《あっし》に刃を向けなさる。馬鹿幼君とやらを叱り飛ばした私《あっし》が憎《にく》いなど、御門違《おかどちげ》えのコンコンチキもいいとこじゃあねえんですかえ」

「な、なにいっ」

「さ、言って貰いやしょう。なぜに私《あっし》に刃を向けなさる」

「斬らねばならぬから斬るまでじゃ」

「仕方がねえ……か」

二人の短い対話はそれ迄であった。いや、話を交《か》わしつつも文之助の足元は次の業に備えすでに足指で床を嚙むようにして〝敵〟に躙《にじ》り寄りつつあった。

激闘は対話の直後から開始されていた。

対話がある意味で隠《かく》れ蓑《みの》であったことは宗次にしても同じだった。このとき宗次の左半身《はんみ》は着ている物の下で肩、腕、脚に広がる鍛《きた》え抜かれた筋肉《すじ》という筋肉《すじ》を時にミシッという音を立てて膨《ふく》らませつつあった。右半身《はんみ》は肘の傷に負担が及ばぬよう脱力状態に置いている。

それが揚真流最高奥義《おうぎ》の一《ひとつ》、「半斬《はんざん》の蝶《ちょう》」であることを、むろん知る由《よし》もない麻倉文之助義統であった。

「きなせえ」

と宗次の腰が更に沈み、刃を上にして肩にのった同田貫正国が僅《わず》かに胸元へ落ちる。

それが合図と受け取った訳でもあるまいが、文之助が正眼のまま宗次に突入した。同田貫の切っ先が長槍《ちょうそう》の穂先《ほさき》の如く宗次の喉元へ、ぐぐーんと伸びる。止まらない。たじろがない。まるで炎《ひ》のような切っ先であった。

その切っ先へ無謀にも宗次が半身構えのまま自ら喉元をぶっつけていく。

文之助の同田貫が宗次の喉を貫き裂いたかに見えた。

いや、同田貫正国も鋭い風切り音を発して捻《ひね》りながらの一閃《いっせん》。

双方の顔面が頰と頰とを鋭く打ち鳴らし触れ合って交差するなか、四本の指が二人の頭上に高高と跳ね上がった。

双方そのまま動かない。文之助の同田貫は狙いを外《はず》し宗次の左耳の下で、空《くう》を切っている。

道場の船底天井に触れんばかりに跳ね上がった四本の指が、次次と落下して鈍い音を立て血玉を散らした。眼《まなこ》を大きく見開いた文之助の歯が悲鳴色に嚙み鳴る。

「いえいっ」

気合いと共に後方へ飛燕の速さで退がった阿修羅《あしゅら》の形相《ぎょうそう》が、刻《とき》を空《あ》けず足の裏でバンバンバンッと床を打ち叩いた。

その半狂乱な文之助の左手が同田貫の柄からはなれていた。血まみれであった。親指を残し、四本の指を同田貫正国に切り飛ばされていた。

「おのれえっ……殺すっ」

喉仏をふるふると震わせた文之助の怒声。四指《しし》無《な》き左手が四本の血柱《ちばしら》を逆《さか》さに垂れ落とし、床板がボトボトと音を立てている。

宗次の右肘から噴き出す血も、手首から指先まで朱《しゅ》で染めたように広がっていた。

剛腕の文之助が左足を踏み出しつつ同田貫を右片手で額《ひたい》の前に横たえて構え、らんらんたる眼《まなこ》で宗次を睨み据える。

「新陰流奥義の太刀・添截乱截《てんせつらんせつ》……これもまた見事なり」

相手に届くように呟いた宗次は、変わらず左半身の構え「半斬の蝶」へと己れを静かに持っていった。

無言対無言。隻腕《せきわん》対隻腕の対決だった。しかも共に血まみれ。

文之助が半歩を退がってゆっくりと右へ回った。半身構えの「半斬の蝶」が矢張り右へと回り、宗次が監覧式台を背負う。

双方の動きが止まって宗次が目を細め、文之助の右足指が床に対して立ち、腰が僅かに沈んだ。

（来るっ）と宗次は読んだ。文之助の右足指が床を打って矢のように飛翔《ひしょう》する様《さま》が脳裏《のうり》に浮かんだ。新陰流添截乱截の打撃の強烈さについては亡き養父梁伊対馬守から教えられたことがある宗次である。

その宗次の同田貫正国が肩より少し浮いて、体の外側に向け刃をそろりと横たえた。それが、まことの凄絶なる死闘の幕あけだった。

（下巻へつづく）

「門田泰明時代劇場」刊行リスト

早くも累計130万部突破!

ひぐらし武士道 『大江戸剣花帳』(上・下)	徳間文庫 光文社文庫	平成十六年十月 平成二十四年十一月
ぜえろく武士道覚書 『斬りて候』(上・下)	光文社文庫	平成十七年十二月
ぜえろく武士道覚書 『一閃なり』(上)	光文社文庫	平成十九年五月
ぜえろく武士道覚書 『一閃なり』(下)	光文社文庫	平成二十年五月
浮世絵宗次日月抄 『命賭け候』	徳間文庫	平成二十一年三月
ぜえろく武士道覚書 『討ちて候』(上・下)	祥伝社文庫	平成二十二年五月
浮世絵宗次日月抄 『冗談じゃねえや』	徳間文庫	平成二十二年十一月
浮世絵宗次日月抄 『任せなせえ』	光文社文庫	平成二十三年六月
浮世絵宗次日月抄 『秘剣 双ツ竜』	祥伝社文庫	平成二十四年四月

浮世絵宗次日月抄
『奥傳 夢千鳥』

浮世絵宗次日月抄
『半斬ノ蝶』（上）

光文社文庫　平成二十四年六月

祥伝社文庫　平成二十五年三月

本書は「闇ノ介 正眼無構」と題し、「小説NON」（祥伝社刊）平成二十四年七月号～平成二十五年一月号に掲載されたものに、著者が刊行に際し加筆修正したものです。

半斬ノ蝶（上）

一〇〇字書評

切り取り線

購買動機（新聞、雑誌名を記入するか、あるいは○をつけてください）

□（　　　　　　）の広告を見て	
□（　　　　　　）の書評を見て	
□ 知人のすすめで	□ タイトルに惹かれて
□ カバーが良かったから	□ 内容が面白そうだから
□ 好きな作家だから	□ 好きな分野の本だから

・最近、最も感銘を受けた作品名をお書き下さい

・あなたのお好きな作家名をお書き下さい

・その他、ご要望がありましたらお書き下さい

住所	〒				
氏名		職業		年齢	
Eメール	※携帯には配信できません	新刊情報等のメール配信を 希望する・しない			

この本の感想を、編集部までお寄せいただけたらありがたく存じます。今後の企画の参考にさせていただきます。Eメールでも結構です。

いただいた「一〇〇字書評」は、新聞・雑誌等に紹介させていただくことがあります。その場合はお礼として特製図書カードを差し上げます。

前ページの原稿用紙に書評をお書きの上、切り取り、左記までお送り下さい。宛先の住所は不要です。

なお、ご記入いただいたお名前、ご住所等は、書評紹介の事前了解、謝礼のお届けのためだけに利用し、そのほかの目的のために利用することはありません。

〒一〇一‐八七〇一
祥伝社文庫編集長　坂口芳和
電話　〇三（三二六五）二〇八〇

祥伝社ホームページの「ブックレビュー」からも、書き込めます。

http://www.shodensha.co.jp/bookreview/

祥伝社文庫

半斬《はんざん》ノ蝶《ちょう》（上《じょう》）浮世《うきよ》絵《え》宗次《そうじ》日月《じつげつ》抄《しょう》

平成25年3月20日　初版第1刷発行

著　者　門田泰明《かどたやすあき》

発行者　竹内和芳

発行所　祥伝社《しょうでんしゃ》

東京都千代田区神田神保町3-3

〒101-8701

電話　03（3265）2081（販売部）

電話　03（3265）2080（編集部）

電話　03（3265）3622（業務部）

http://www.shodensha.co.jp/

印刷所　萩原印刷

製本所　関川製本

カバーフォーマットデザイン　かとうみつひこ

Printed in Japan ©2013, Yasuaki Kadota　ISBN978-4-396-33830-5 C0193